FRIEDRICH DÜRRENMATT
DIE WIEDERTÄUFER

Dürrenmatt

FRIEDRICH DÜRRENMATT

DIE WIEDERTÄUFER

EINE KOMÖDIE IN ZWEI TEILEN

IM VERLAG DER ARCHE ZÜRICH

Uraufführung im Schauspielhaus Zürich
am 16. März 1967
Neue Auflage 1968

Printed in Switzerland by H. Börsigs Erben AG, Zürich
Einband: J. Stemmle & Co., Zürich

7 Personenverzeichnis
9 Teil I
55 Teil II

Anhang
99 Anmerkungen
101 Dramaturgische Überlegungen zu den Wiedertäufern

    1. Einleitung: Modell Scott
    2. Der Fall Bockelson
    3. Bockelson als positiver tragischer Held
    4. Bockelson als negativer tragischer Held
    5. Die Tragödie als das Theater der Identifikation
    6. Der Verfremdungseffekt
    7. Das Theater der Nicht-Identifikation
    8. Die drei Arten der Komödie
    9. Dramaturgie der Komödie als Welttheater
    10. Auf Bockelson bezogen
    11. Bockelson als Thema
    12. Über die Wiedertäufer im Ganzen

AN ERNST SCHRÖDER

PERSONEN

DIE FÜRSTEN:

Kaiser Karl V.
Kardinal
Franz von Waldeck, Fürstbischof von Minden, Osnabrück und Münster
Kurfürst
Landgraf von Hessen

Der Kanzler

DIE TÄUFER:

Jan Matthison
Bernhard Rothmann
Bernhard Krechting
Staprade
Vinne
Klopriss
Johann Bockelson von Leyden

DAS VOLK VON MÜNSTER:

Knipperdollinck
Judith, seine Tochter
Der Mönch
Wache
Heinrich Gresbeck, Sekretär des Bischofs
Metzger
Gemüsefrau
Langermann
Frau Langermann
Friese
Frau Friese
Helga
Gisela | *ihre Töchter*

Veronika von der Recke, Äbtissin
Divara, Matthisons Frau
Kruse
Henker
Täuferinnen

DIE LANDSKNECHTE:

Ritter Johann von Büren
Ritter Hermann von Mengerssen
1. Landsknecht
2. Landsknecht

TEIL I

In der Stadt. Ägidiitor.
Matthison, Rothmann, Krechting, Bockelson, Vinne, Klopriß und
Staprade, zerlumpte Propheten der Täufer betreten mit ihrer Habe
Münster in Westfalen.

MATTHISON : Gott verhüllte sein Antlitz
Da verließ das Tier mit den sieben Köpfen seine Höhle
Vom Geklirr seiner Schwingen erbebte Himmel und Erde
BOCKELSON : Herr, Herr, laß uns nicht gänzlich im Stiche!
ROTHMANN : Der Papst, der Kaiser, der Fürst, der Lutheraner
    der Kaufmann, der Richter und der Landsknecht
Stahlen dem Volk zuerst das Land, dann das Vieh und endlich
    den Leib
KRECHTING : Zu den wilden Tieren im Wald, zu den Fischen,
    zu den Vögeln und zu den Weibern und Töchtern der Armen
Sprachen sie: Ihr seid unser
BOCKELSON : Herr, Herr, deine Feinde verspotten dich!
STAPRADE : Sie prägten Münzen und nahmen Zinsen und
    Zinsen von den Zinsen
VINNE : Sie machten Gesetze
Die Mächtigen vor den Ohnmächtigen zu schützen
KLOPRISS : Die Reichen vor den Armen, die Satten vor den
    Hungrigen
BOCKELSON : Herr, Herr, blicke nieder auf unser Elend!
MATTHISON : Sie beten Götzen an, die sie Heilige nannten,
    und verbreiteten Irrlehren jeglicher Art
Damit das Volk unwissend bleibe und gefügig ihrer Willkür
BOCKELSON : Herr, Herr, erleuchte uns!
ROTHMANN : Da rebellierten die Bauern und ergriffen die
    Waffen
Doch die Landsknechte der Fürsten waren mächtiger denn das
    arme Volk
BOCKELSON : Herr, Herr, erbarme dich unser!
KRECHTING : Die Leichen der Bauern verstopften die Flüsse
    und hingen in den Ästen der Bäume

STAPRADE: Die Totenvögel mästeten sich
Sie wurden feiß wie die Säue, daß sie nicht mehr fliegen konnten
BOCKELSON: Herr, Herr, in tiefster Not schrei ich zu dir!
MATTHISON: Da erbarmte sich der Herr der Bedrängten!
BOCKELSON: Jauchzet!
KLOPRISS: Er erhöhte, was erniedrigt worden war
BOCKELSON: Singet!
VINNE: Er machte wissend uns Unwissende
BOCKELSON: Preiset!
ROTHMANN: Er schickte uns aus, seine Propheten
Das Volk zu erlösen aus seiner Knechtschaft
Nicht durch die Waffen der Gewalt, sondern durch das Schwert des Geistes
BOCKELSON: Lobet den Herrn!
MATTHISON: Wir Täufer sind reinen Leibes
Wir haben die Sünden von uns geworfen wie der Bräutigam die Kleider von sich wirft, wenn die Nacht seiner Hochzeit gekommen
Wir sind getauft, wie Johannes es tat mit dem Gott
Wir sind friedfertig, und unsere Waffe ist das Gebet
BOCKELSON: Buße, tut Buße, bekehret euch!
ALLE: Buße, tut Buße, bekehret euch!
ROTHMANN: Zum Zeichen seines Bundes verhieß uns der Herr eine Stadt
Gesegnet sei Münster in Westfalen, das uns umgibt in der Morgensonne
BOCKELSON: Gesegnet!
KRECHTING: Bald werden dir die letzten Ungläubigen entfliehen
Der Bischof wird dich mit seinen Kebsweibern und Lustknaben verlassen
Und die erbärmlichen Lutheraner werden dir entweichen wie Schelme!
BOCKELSON: Fluch ihnen! Fluch!
ALLE: Fluch ihnen! Fluch!

MATTHISON: In deinen Mauern, Münster, wird uns ein neues Jerusalem erstehen

BOCKELSON: Halleluja!

MATTHISON: Wir werden sein tausend mal tausend und zehnmal hunderttausend
Ein großes Volk, das weder Reiche noch Arme kennt
Noch Mächtige und Ohnmächtige

BOCKELSON: Hosianna!

MATTHISON: Dann endlich wird der Tag kommen, der verheißen ist
Ein neuer Himmel wird sein und eine neue Erde
Wir werden eins sein mit ihm, der wiedergeboren ist in uns

BOCKELSON: Amen!

MATTHISON: Brüder, ich nehme als Prophet der Täufer im Namen des Herrn von der Stadt Münster Besitz. Verteilen wir uns, evangelisieren wir auf den Plätzen und in den Straßen, verkünden wir unsere heilige Lehre überall, das Reich Gottes in diesen Mauern zu errichten. Ehre sei Gott in der Höhe!

DIE ANDERN: Ehre sei Gott in der Höhe!

Matthison, Krechting, Rothmann, Vinne, Klopriß, Staprade ab.

BOCKELSON: Es gilt. Erzittere, Münster in Westfalen!

Klettert in einen Mistkarren.

BOCKELSON: Komme Volk! Du sollst von meiner Rednergabe verschlungen werden wie von einem brüllenden Löwen.

Kesselflicker Langermann und Schuster Friese treten auf.

FRIESE: Es ist ein frischer Morgen und ein Haufen Dreck und Staub am Boden.

LANGERMANN: Lutum und pulvis. Ich habe studiert.

FRIESE: Langermann, Ihr gabt euch Mühe, Kesselflicker zu werden.

LANGERMANN: Ich mußte das Studium aufgeben, Schuster Friese. Ich höre Stimmen.

FRIESE: Das hören heute viele.

LANGERMANN: Es ist immer was im Kopf. Wie ein Stern oder wie ein Baum mit Ästen, Früchten und Blättern, versteht Ihr?

FRIESE: Nein!

LANGERMANN: Das macht das Rappeln.

Stutzt. Bockelson schnarcht.

LANGERMANN: Hört ihr?

FRIESE: Rappelt's?

LANGERMANN: Es schnarcht.

FRIESE: Wache! Da liegt einer im Karren und schläft.

Eine Wache tritt auf.

WACHE: Der Mann wird arretiert. Artikel 24: Gegen die Völlerei. Der Mann ist voll. Artikel 29: Gegen den Aufenthalt an unanständigen Orten. Ein Mistkarren ist ein unanständiger Ort.

BOCKELSON: Ehre sei Gott in der Höhe!

LANGERMANN: Je!

DIE WACHE: Ihr seid arretiert.

BOCKELSON: Wo bin ich, ihr Leute?

FRIESE: Vor meinem Hause beim Ägidiitor.

BOCKELSON: Ich meine, in welcher Stadt?

LANGERMANN: Je!

FRIESE: Er weiß nicht, wo er ist.

DIE WACHE: Ihr seid in Münster in Westfalen.

BOCKELSON: In welcher Zeit nach Christi Geburt?

LANGERMANN: Je!

FRIESE: Er weiß auch die Zeit nicht.

DIE WACHE: Wir zählen das Jahr 1533.

BOCKELSON: Herr, ich danke dir, daß du so an mir getan!

Breitet die Arme aus.

DIE WACHE: Name?

BOCKELSON: Johann Bockelson.

DIE WACHE: Herkunft?

BOCKELSON: Von vornehmer Herkunft. Ich bin der natürliche Sohn des Dorfschulzen Bockel von Grevenhagen.

DIE WACHE: Herkommend?

BOCKELSON: Aus Leyden in den Niederlanden.

DIE WACHE: Beruf?

BOCKELSON: Zuerst war ich Schneidergeselle, dann Schankwirt, darauf Inhaber eines bescheidenen, aber anständigen Bordells, später Mitglied der Kammer der Rhetoriker, Verfasser einiger Schwänke und endlich Schauspieler.

LANGERMANN: Je!

FRIESE: Ein Schauspieler.

DIE WACHE: Beruf: Vagant.

BOCKELSON: Ich spielte in den Reichsstädten und Residenzen Deutschlands die großen Heldenrollen der Weltliteratur und sprach sogar Seiner Exzellenz, dem Bischof von Minden, Osnabrück und Münster in Westfalen, Fürst von Waldeck, in seiner Sommerresidenz Iburg vor.

DIE WACHE: Nach Eurem Zustande zu schließen, seid Ihr nicht engagiert worden.

BOCKELSON: Seine Exzellenz fiel mir nach dem Vorsprechen begeistert um den Hals, doch wie ich den armen König Oedipus spielen sollte und in der Hauptprobe gerade ausgerufen hatte:
Weh! Weh!
Ach Unseliger ich! Ach! Ach!
Wohin trägt mich mein Fuß?
Wohin verweht meine Stimme?
Wohin, ach wohin
Verschlägt das Schicksal mich!
erscholl Gottes Stimme so mächtig vom Himmel herab, daß die ganze Sommerresidenz erzitterte.

LANGERMANN: Vox Dei. Ich bin in der Theologie bewandert.

BOCKELSON: Täufer! Werde Täufer! befahl die Stimme, und ich ließ mich taufen.

DIE WACHE: Konfession: Wiedertäufer.

BOCKELSON: Ich hoffe, daß auch ihr diesem Glauben angehört.

FRIESE: Ich bin Schuster.

LANGERMANN: Ich habe das Rappeln.

DIE WACHE: Ich muß Euch arretieren. Das Gesetz ist das Gesetz. Ihr seid dagelegen in Völlerei.

BOCKELSON: Ich war nicht betrunken, mein Freund, ich war ohnmächtig.

LANGERMANN: Animus eum reliquit. Ich habe auch Medizin studiert.

DIE WACHE *mißtrauisch:* Ohnmächtig?

BOCKELSON: Vor einer halben Stunde predigte ich in den Straßen der Stadt Rotterdam.

DIE WACHE *streng:* Rotterdam ist sechs Tagereisen entfernt.

BOCKELSON: Exakt.

DIE WACHE: Ihr wäret in einer so kurzen Zeitspanne von wenigen Minuten aus Rotterdam nach Münster in Westfalen gekommen?

BOCKELSON: Der Erzengel Gabriel trug mich durch die Lüfte.

FRIESE: Durch die Lüfte?

BOCKELSON: Und zwar in einer derart sausenden Geschwindigkeit, daß wir ins Jahr 1533 zurückgeflogen sind, denn wir zählten schon das Jahr 1534, als wir in Rotterdam predigten.

LANGERMANN: Das Magie. Faustus, Paracelsus, Agrippa –

BOCKELSON: Wir schwebten eben über Münster, als den Erzengel die Morgensonne blendete. Er schneuzte und ließ mich in diesen Karren fallen, wo ihr mich ohnmächtig aufgefunden habt.

FRIESE: Schneuzt ein Erzengel denn auch?

BOCKELSON: Es ist dies ein sanftes und wohltönendes Getöse, einem Glockendreiklang nicht unähnlich, von einer rhythmischen Erschütterung des Leibes begleitet, wobei der Erzengel beide Arme auszubreiten liebt.

LANGERMANN: Je!

DIE WACHE: Weiß der Teufel, was sich der Erzengel Gabriel dachte, als er ausgerechnet Euch nach Münster in Westfalen trug.

BOCKELSON: Der Himmel hat Großes mit mir Unwürdigem vor, mein Freund. Die Täufer werden mich zu ihrem König wählen, der Kaiser wird mir seine Krone anbieten, der Papst von Rom nach Münster nackten Fußes wandeln, den Saum meines Mantels zu lecken, und Gott, auf seinem heiligen Richterthrone, wird mich zum Herrn der Erde erheben!

Knipperdollinck und seine Tochter Judith treten auf, beide in reicher Kleidung.

DIE WACHE: Platz dem Bürgermeister Bernhard Knipperdollinck.

KNIPPERDOLLINCK: Nach den kummervollen Nächten voll Seufzer der Reue und voll Furcht vor der ewigen Verdammnis, voll Skrupel über Handlungen, zu denen mich der Tag und das Geschäft zwingt, liebe ich diesen täglichen Gang aufs Rathaus früh am Morgen.

JUDITH: Du hast Sorgen, Vater.

KNIPPERDOLLINCK: Kümmere dich nicht darum, mein Kind. Nach dem Tode deiner Mutter bin ich ein alter Mann geworden, Gespinsten zugeneigt und grüblerischen Gedanken.

BOCKELSON: Heil dir, Lutheraner, der du wandelst in deiner Gnade und in deinem kostbaren Pelz, eine goldene Kette auf dem Bauch und eine Tochter am Arm, keusch und wohlerzogen!

KNIPPERDOLLINCK: Wer ist dieser Mann?

DIE WACHE: Ein Schauspieler.

JUDITH: Laß uns weitergehen, Vater.

KNIPPERDOLLINCK: Er ist in Lumpen.

DIE WACHE: Er behauptet, ein großer Prophet der Täufer zu sein, und ein Engel habe ihn hergeflogen.

KNIPPERDOLLINCK: Warum verspottest du mich, Täufer?

BOCKELSON: Warum verfolgst du mich, Bürgermeister?

KNIPPERDOLLINCK: Ich verfolge die Täufer nicht, ich dulde sie.

BOCKELSON: Ach, daß du kalt oder warm wärest! Weil du aber lau bist und weder kalt noch warm, spricht der Herr, werde ich dich ausspeien aus meinem Munde.

KNIPPERDOLLINCK: Was willst du von mir?

BOCKELSON: Ich will von deinem Brot und ich will von deinem Wein. Ich will ein Kleid für meinen Leib und ein Bett für meinen Schlaf. Ich will von deinem Gold und ich will von deiner Macht.

KNIPPERDOLLINCK: Du forderst viel.

BOCKELSON: Ich biete mehr.

KNIPPERDOLLINCK: Das wäre?

BOCKELSON: Könnte es nicht sein, daß ich dir die ewige Seligkeit verschaffe?

Schweigen.

KNIPPERDOLLINCK: Ich gewähre dir, was du verlangst. Ich werde dich empfangen wie einen König. Komm, mein Kind.

Knipperdollinck mit Tochter ab.

BOCKELSON: Nun?

LANGERMANN: Je!

FRIESE: War das 'ne Einladung!

BOCKELSON: Meine Weltherrschaft nimmt ihren Lauf!

DIE WACHE: Ich arretiere Eure Gnaden besser nicht.

BOCKELSON: Es ist noch früh am Morgen, meine Guten – ich bitte den Karren in den Schatten zu schieben und mich noch ein wenig schlafen zu lassen.

WACHE: Zu Befehl, Eure Gnaden.

Schiebt den Karren mit Bockelson hinaus. Friese folgt.

LANGERMANN: Er hört Stimmen. Ich höre Stimmen. Ich werde auch Prophet.

2. DER BISCHOF MUSS DIE STADT VERLASSEN

Im bischöflichen Palast. Heinrich Gresbeck rollt den Bischof herein.

BISCHOF: Ich bin der Bischof von Minden, Osnabrück und Münster in Westfalen
Fürst Franz von Waldeck
99 Jahre 9 Monate und 9 Tage alt
Ich bin an beiden Beinen gelähmt, und dies seit einem Jahrzehnt
Wie es bisweilen bei Leuten meines Alters vorkommt
Ich spreche fließend Latein und Griechisch und liebe Homer und Lukian
Doch am liebsten sind mir die nichtsnutzigen Komödien
Meine Theatertruppe ist die beste und teuerste im Heiligen Römischen Reiche Deutscher Nation
Das Possenspiel unseres Lebens
Das mühsame Herumstolpern auf der Flucht vor der Wahrheit und auf der Suche nach ihr
Wird auf den Brettern leicht, ein Tanz, ein Gelächter, ein wohliger Schauer
Mitspieler in Wirklichkeit, verstrickt in Schuld, Mitwisser von Verbrechen
Brauchen wir die Täuschung loser Stunden Zuschauer nur zu sein.
Heinrich Gresbeck bringt das Abendbrot. Ein Teller Suppe, ein Stück Brot, ein Glas Wein.
Mein Sekretär, der einsilbige und verschlossene Kerl, der mich bedient
Heißt Heinrich Gresbeck
Der einzige, der mir noch treu geblieben ist
Aber ich höre Schritte
Es ist Bernhard Knipperdollinck, der reiche Mann
Ich bin ihm Geld schuldig
Ich kann euch leider diese auch für einen Bischof peinliche Szene nicht ersparen

Knipperdollinck tritt auf.

KNIPPERDOLLINCK: Exzellenz.

BISCHOF: Kommt Ihr als Bürgermeister oder als Knipperdollinck?

KNIPPERDOLLINCK: Als Bürgermeister *und* als Knipperdollinck.

BISCHOF: Erlaubt, daß Wir Euch einen Sessel holen lassen. Er wurde zur Verrammelung des Hauptportals gegen vorwitzige Täufer benötigt, nun ist er nicht zur Stelle.

KNIPPERDOLLINCK: Ihr habt nichts zu befürchten.

BISCHOF: Wir wissen nicht so recht. Gestern wurden immerhin zwei Diakone zertrampelt und die Fenster unseres Palastes eingeschlagen. Wir waren dreißig, als Wir Bischof von Münster wurden, und selbst Luther vermochte Unsere Stellung nicht zu erschüttern. Da kommt dieser düstere Prophet Jan Matthison mit seinen Predigern, und siebzig Jahre Seelsorge lösen sich in drei Wochen ins Nichts auf. Sogar Unsere geliebten Töchter, die Nonnen des Überwasserklosters, sind zu den Täufern übergelaufen samt ihrer Äbtissin Veronika von der Recke.

Gresbeck bringt einen Sessel.

KNIPPERDOLLINCK: Erlaubt, daß ich stehe.

BISCHOF: Wir sind Euch Geld schuldig, Knipperdollinck.

Löffelt Suppe, bricht Brot usw.

KNIPPERDOLLINCK: Behaltet das Geld.

BISCHOF: Die Kirche wird für das Heil Eurer Seele eine feierliche Messe lesen.

KNIPPERDOLLINCK: Erspart sie Euch.

BISCHOF: Wie Wir vernommen haben, beherbergt Ihr in Eurem Hause einen gewissen Johann Bockelson aus Leyden.

KNIPPERDOLLINCK: Ein heiliger Mann, ein treuer Anhänger des großen Propheten Jan Matthison.

BISCHOF: Ein dilettantischer Schauspieler, der sich vergeblich bemühte, in meiner Truppe ein Unterkommen zu finden.

KNIPPERDOLLINCK: Sein Herz trachtet nicht mehr nach dem Ruhme dieser eitlen Welt.

BISCHOF: Dann wird es nach Üblem trachten. Was beschloß der Rat?

KNIPPERDOLLINCK: Exzellenz haben Münster zu verlassen.

BISCHOF: Wann?

KNIPPERDOLLINCK: Diese Nacht.

BISCHOF: Es bleibt Uns nichts anderes übrig, als zu gehorchen.

KNIPPERDOLLINCK: Exzellenz haben in dieser Stadt ausgespielt.

BISCHOF: Euer Werk, Bürgermeister.

KNIPPERDOLLINCK: Ich überzeugte den Rat.

BISCHOF: Und was wünschst du als Knipperdollinck von Uns?

KNIPPERDOLLINCK: Die Wahrheit.

BISCHOF: Die glaubst du von einem Sohn der Kirche zu erhalten?

KNIPPERDOLLINCK: Ich glaube sie von einem hundertjährigen Menschen zu erhalten.

BISCHOF: Rede.

Wendet sich vom Abendbrot Knipperdollinck zu, der sich setzt.

KNIPPERDOLLINCK: Warum bekämpft Ihr die Täufer, Bischof von Münster?

BISCHOF: Zuerst hast du dich zu Luther bekehrt, bist du nun auch noch ein Täufer geworden?

KNIPPERDOLLINCK: Der Prophet Johann Bockelson überzeugte mich.

BISCHOF: Der Schauspieler macht sich.

KNIPPERDOLLINCK: Ihr kennt unsere Schriften.

BISCHOF: Sie sind schlecht geschrieben.

KNIPPERDOLLINCK: Wir ringen um die Gnade Gottes.

BISCHOF: Gerade das macht Uns mißtrauisch. Wir beten um die Gnade als unsere Erlösung und fürchten sie als Unsre Ausrede.

KNIPPERDOLLINCK: Wer wider uns ist, ist wider Christus.

BISCHOF: Wir pflegen auf solche Sprüche nicht einzugehen. Aber Wir möchten dir sagen, was Wir denken, Wir sind es dir als dein Hirte schuldig. Daß ihr nicht mehr an die Heiligen glaubt, ist gleichgültig, Wir glauben vielleicht auch nicht mehr

daran. Doch daß ihr Täufer an euch selbst glaubt, Knipperdollinck, wird euer Untergang sein.

KNIPPERDOLLINCK: Ich verstehe Euch nicht.

BISCHOF: Die Kirche glaubte an sich und vergoß Blut in Seinem Namen, jetzt glaubt ihr an euch und werdet Blut in Seinem
Namen vergießen.

KNIPPERDOLLINCK: Der Kampf zwischen uns ist notwen-
dig.

BISCHOF: Neunundneunzig Jahre waren Wir kein Held und
müssen mit Hundert einer sein. Wir werden mit dem Gelde,
das Wir dir schulden, ein Heer wider euch aufstellen, Knipperdollinck.

KNIPPERDOLLINCK: Ihr seid deutlich.

BISCHOF: Wir lieben die Klarheit.

KNIPPERDOLLINCK: Ihr habt kein Recht, uns zu richten.

BISCHOF: Das Recht dazu werdet ihr uns schon liefern.

Schweigen.

KNIPPERDOLLINCK: Was soll ich tun?

BISCHOF: Halte, was für Täufer und Bischof gilt: Liebe deine
Feinde, verkaufe, was du hast, und gib's den Armen und widerstehe nicht dem Übel.

KNIPPERDOLLINCK: Exzellenz sind unerbittlich.

BISCHOF: Mein Amt.

Schweigen.

KNIPPERDOLLINCK: Gebt mir den Segen.

BISCHOF: Wir können dir den Segen nicht geben.

KNIPPERDOLLINCK: Bin ich so sündig, daß ich nicht mehr
ein Mensch bin?

BISCHOF: Halte ich seine Gebote? Schließen sich nicht goldene
Ringe um meine Finger? Bekämpfe ich nicht meine Feinde?
Lebe *ich* in der Gnade? Bin ich mehr als du, daß ich dich segnen
könnte?

Knipperdollinck ab.

BISCHOF: Roll mich aus der Stadt, Gresbeck.

GRESBECK: Ich bleibe.

Räumt das Abendbrot ab.

BISCHOF: Du auch?

GRESBECK: Johann Bockelson predigt wortgewaltig.

BISCHOF: Ich hätte den Schauspieler doch engagieren sollen.

GRESBECK: Ich heirate.

BISCHOF: Kein Grund, ein Täufer zu werden.

GRESBECK: Die Äbtissin.

BISCHOF: Sind die Weiber in Münster toll geworden?

GRESBECK: Sie sind gläubig geworden.

BISCHOF: Sie ist eine Reichsfürstin, und dich las ich eigenhändig aus der Gosse zusammen.

GRESBECK: Vor Gott sind wir alle gleich.

BISCHOF: Du bist ein fünfundzwanzigjähriger Bursche, und sie ist doppelt so alt.

GRESBECK: Angesichts der Ewigkeit spielt das keine Rolle.

BISCHOF: Gresbeck! Soll ich mich denn eigenhändig aus dieser verrückten Stadt rollen?

GRESBECK: Rollt Euch zum Teufel, Bischof.

Der Bischof rollt sich hinaus.

3. DER MÖNCH KANN SICH RETTEN

Marktplatz. Das Volk von Münster. Ein Metzger, Gemüsefrau, Langermann mit Frau, Friese mit Frau und Helga und Gisela. Langermann und Friese tragen Inschriften: «Tod den Herren», «Mit Gott und den Wiedertäufern», «Durch die Taufe zur Gnade», «Tut Buße, bekehret euch».

LANGERMANN: Münster ist gesäubert.

METZGER: Würste! Würste! Kauft Würste!

FRIESE: Die Katholiken und die Protestanten davongejagt.

LANGERMANN: Jan Matthison Bürgermeister!

METZGER: Kalbswürste! Schweinswürste!

FRIESE: Einer von uns kam in Deutschland an die Macht, einer vom armen Volk. Jan Matthison ist Bäcker in Harleem gewesen, der Prediger Staprade Kürschner und der Prophet Klopriß Schuster wie ich.

METZGER: Bratwürste! Bratwürste!

LANGERMANN: Wir gehen gewaltigen Zeiten entgegen.

FRIESE: Friedenszeiten.

LANGERMANN: Sechs Jahre saß ich im Schuldenturm mit Frau und Gören, Schuster Friese. Das ist jetzt vorbei, das ist nicht mehr möglich.

FRIESE: *Wir* machen nun die Weltgeschichte.

LANGERMANN: Je!

METZGER: Leberwürste! Blutwürste! Knackwürste!

GEMÜSEFRAU: Ihr Leute von Münster! Männer, Weiber und Jungfrauen! Seht diese Salatköpfe! Seht diese Wunder der Natur! Kugelrund und grün! Zart wie Säuglingshinterchen! Frisch wie junge Mädchen! Wer seinen Mann liebt, kauft Salatköpfe!

METZGER: Gemüsefrau! Ihr schreit, daß ich meine eigene Stimme nicht verstehe.

GEMÜSEFRAU: Ich schreie im Namen der Gesundheit, Metzger, und im Namen der guten Verdauung! Kohlköpfe! Kauft Kohlköpfe! Das Ideale für Festessen, für Taufessen, für Hochzeitsessen, für Begräbnisessen, für Henkersmahlzeiten! Kohlköpfe! Kauft Kohlköpfe!

FRAU LANGERMANN: Ihr habt stattliche Töchter, Frau Friese.

METZGER: Schaffleisch, billiges Schaffleisch!

FRAU FRIESE: Helga und Gisela. Sie schwärmen für den Propheten Bockelson.

METZGER: Kalbshirn, zartes Kalbshirn.

HELGA: Er war Schauspieler, Frau Langermann.

GISELA: Er entsagte der Welt, Frau Langermann.

FRAU LANGERMANN: Für uns gewöhnliches Volk sind die Andachten des Propheten Rothmann immer noch die besten, nicht wahr, Hellmuth?

METZGER: Schmalz! Schmalz! Kauft Schmalz!

FRAU FRIESE: Die öffentlichen Sündenbekenntnisse in der Lambertikirche sind aufregender, Frau Langermann. Ihr hättet hören sollen, was die Kupplerin beim Buddenturm, die Schlachtschäf, bekannte und die Namen, die sie nannte.

METZGER: Ochsenmaulsalat! Frischer Ochsenmaulsalat!

LANGERMANN: Am schönsten sind die Massentaufen.

GEMÜSEFRAU: Äpfel! Äpfel! Direkt aus dem Paradies! Direkt vom Baume der Erkenntnis! Sie rutschen in den Magen und scheuern die Därme! Ganz billig, extra billig, spottbillig!

Heinrich Gresbeck mit der ehemaligen Äbtissin Veronika von der Recke am Arm tritt auf. Einige entlaufene Nonnen mit ihren Verlobten folgen.

DIE VON DER RECKE: Gesegnet seien die Täufer, gesegnet seist du, bekehrtes Volk von Münster. Gesegnet, gesegnet!

FRIESE: Es lebe unsere ehemalige Äbtissin, die Reichsgräfin Veronika von der Recke! Es lebe ihr Verlobter Heinrich Gresbeck!

Beifall. Der alte Kruse tritt auf.

KRUSE: Friede auf Erden. Ehre sei Gott in der Höhe und den Menschen ein Wohlgefallen.

LANGERMANN: Der alte Kruse. Er hat noch nie bei einer Hinrichtung gefehlt.

GEMÜSEFRAU: Birnen! Kauft Birnen! Gelb wie der Neid! Lecker wie Weiberfleisch! Saftig wie Hurentitten! Birnen! Kauft Birnen!

Die Wache und der Scharfrichter treten auf.

HELGA: Mama, der Scharfrichter!

GISELA: Papa, wird geköpft, gehängt oder gerädert?

FRIESE: Geduld, Töchterchen.

GISELA: Ich hab noch nie gesehn, wie einer gerädert wurde.

HELGA: Ich habe köpfen lieber.

METZGER: Kutteln! Kutteln!

Die Wache hat das Blutgerüst bestiegen.

DIE WACHE: Der Rat zu Münster in Westfalen dem Volk zu Münster in Westfalen. Eingesetzt, die Bürger zu mahnen, nicht nachzulassen, das Reich Gottes zu erlangen, haben wir das Urteil gefällt, den ehemaligen Hilfslehrer für Mathematik am hiesigen ehemaligen päpstlichen Gymnasium, Hans Zicklein, vom Volke Ziegenhannes genannt, vom Scharfrichter durch das Schwert vom Leben zum Tode zu bringen –

KRUSE: Ehre sei Gott in der Höhe.

DIE WACHE: weil er behauptete, der Lehrsatz des Heiden Pythagoras sei ebenso wahr wie die Bibel.

DIE VON DER RECKE: Humanist!

HELGA: Er wird geköpft! Er wird geköpft!

METZGER: Ochsenfleisch! Billiges Ochsenfleisch!

DIE WACHE: Angezeigt wurde Ziegenhannes durch seine ehemalige Schülerin Helga Friese, der hiermit vom Rat öffentlich gedankt wird. Seid wachsam und betet!

HELGA: Er wird geköpft! Er wird geköpft!

FRIESE: Ich bin stolz auf dich, meine Tochter.

GEMÜSEFRAU: Rüben! Wer kauft Rüben? Das ist Philosophie, das ist Gelehrsamkeit, das ist Liebe, die durch die Seele geht! Kauft Rüben, kauft Rüben!

MÖNCH: Ihr könnt mir die Zunge herausreißen, ihr könnt mich millionenfach erwürgen, ihr könnt mir den Kopf abhauen und ihn tausend Klafter in die Erde graben, er wird bis in alle Ewigkeit schreien: Der Lehrsatz des Pythagoras *ist* ebenso wahr wie die Bibel.

KRUSE: Friede auf Erden. Den Menschen ein Wohlgefallen.

MÖNCH: Die Schande wird über dich kommen, Münster!

DIE WACHE: Aufs Blutgerüst mit dir, Mönchlein.

MÖNCH: Ich bin kein Mönch mehr. Ich bin meinem Kloster längst entlaufen. Ich trage die Kutte nur, weil mir zu einem weltlichen Kleide die finanziellen Mittel fehlen.

DIE WACHE: Wir köpfen dich nicht deines Standes, sondern deiner Irrlehren wegen.

MÖNCH: Ich protestiere im Namen der Vernunft!

METZGER: Schinken! Schöner westfälischer Schinken!

MÖNCH: Ihr macht euch auf ewig lächerlich. Ich bin Humanist. Ein Intellektueller. Man kennt mich unter dem Namen Johannes Magnus Capella auch in Köln und Osnabrück.

DIE VON DER RECKE: Hilfslehrer! Bei meinem Vater, dem Reichsgrafen, durfte der arme Sünder vor der Hinrichtung sein Paternoster murmeln und hatte im übrigen die Klappe zu halten.

GEMÜSEFRAU: Schnittlauch! Prima Schnittlauch!

MÖNCH: Volk von Münster!

KRUSE: Friede auf Erden! Friede auf Erden!

GEMÜSEFRAU: Rettich! Schöner roter Rettich! Wer kauft Rettich? Rot wie Blut und gut wie 'ne Zeugung!

MÖNCH: Weib, sei still! Ich will eine Ansprache halten! Es geht um mein Leben!

GEMÜSEFRAU: Knoblauch! Prächtiger Knoblauch!

MÖNCH: Hör mich an, Volk von Münster! Ich will dich überzeugen. Ich kläre deine Blindheit auf. Ich bekehre dich zur Vernunft. Ich demonstriere dir die ewige Wahrheit des Pythagoras, des großen Griechen! Wenn du ein Dreieck zeichnest, dessen Seiten 3, 4 und 5 Handbreiten lang sind, so fällt dieses Dreieck –

Das Volk begleitet die Ansprache des Mönchs mit ironischen Hoch- und Hurrarufen, unterdessen hat die Gemüsefrau das Blutgerüst bestiegen.

GEMÜSEFRAU *mit riesenhafter Stimme:* Zwiebeln! Schöne frische Zwiebeln! Wer seine Nachkommen liebt, kauft Zwiebeln! Da werden die Weiber von selbst schwanger, da gibt es Kinder, Zwillinge, Drillinge, Vierlinge, Fünflinge [*Volk: Sechslinge, Siebenlinge, Achtlinge*], da gibt es Familie! Eßt Zwiebeln! Wir stehen erst in der Mitte der Weltgeschichte, eben erst ist das dunkle Mittelalter zu Ende gegangen. Bedenkt, was wir noch zu schuften haben, was für Hungersnöte [*beginnt zu klatschen*],

Pestilenzen [*das Volk klatscht mit, beginnt um das Blutgerüst zu tanzen*], Pleiten, Feuersbrünste, Erdbeben, Überschwemmungen, Schändungen, Kindermorde, Brudermorde, Elternmorde, Lustmorde, Raubmorde, Umstürze und Kriege [*beim Volk Schrecksekunde*] für uns in der neblichten Zukunft bereit liegen; Bürgerkriege [*das Wort «Kriege» in den folgenden Aufzählungen wird vom Volk geschrien*], Bauernkriege, Glaubenskriege, Wirtschaftskriege, Verteidigungskriege, Angriffskriege, Ausrottungskriege, Weltkriege! Da sind Kinder nötig, meine Damen und Herren, da sind Leichen nötig! Darum: Wer den Fortschritt liebt, ißt Zwiebeln, da hilft er der Weltgeschichte! Zwiebeln! Kauft Zwiebeln! Denkt an die Zukunft! Kauft Zwiebeln!

MÖNCH: Fahr dahin, Mathematik! Fahr dahin, Humanität! Scharfrichter, schlag zu!

Mönch kniet nieder, Scharfrichter öffnet den Mantel. Aufschrei.

HELGA: Mein Gott, welch ein Scharfrichter!

GISELA: Mama, ich sehe nichts!

KRUSE: Den Menschen ein Wohlgefallen! Den Menschen ein Wohlgefallen!

DIE VON DER RECKE: Die Beinstellung gefällt mir gar nicht.

FRIESE: Der neue spanische Stil, Reichsgräfin.

HELGA: Schlag zu! Schlag zu! Schlag zu!

Knipperdollinck im Büßergewand.

KNIPPERDOLLINCK: Buße! Buße! Buße! Wehe! Wehe! Wehe! Tut Buße und bekehret euch, damit ihr nicht den Zorn des himmlischen Vaters über euch reizet!

Wirft Münzen.

Nehmt! Nehmt! Da! Da! Gold! Gold! Du verfluchtes Metall, was willst du mich hindern, die ewige Seligkeit zu erlangen? Volk von Münster! Dieses Mönchlein, das da neben mir auf dem Blutgerüste schlottert, lebte im Irrtum. Es allein? Ich war dein Bürgermeister, Volk von Münster. Meine Schiffe fuhren über die Meere, Könige und Herzöge waren meine Schuldner, ja selbst der Kaiser, der stolze Karl, verschmähte es nicht, an meinem Tische zu speisen. Ich war fromm. Ich ging in die Kirche und gab Almosen. Ich war ein guter Sohn der Kirche, doch mein Gewissen peinigte mich wie Feuer. Ich wurde Lutheraner, mein

Gewissen peinigte mich weiter, ich wurde ein Täufer, und immer noch peinigte mich mein Gewissen. Aber jetzt, wie ich die Schätze von mir geworfen habe, welche die Motten und der Rost fressen und denen die Diebe nachgraben, sie zu stehlen, erst jetzt erzittere ich nicht mehr vor Gottes gräßlichem Zorn! Du aber, Volk von Münster? Stürztest du nicht auf das Gold, das ich in deine Mitte warf? Wahrlich, wo dein Schatz ist, ist dein Herz. Bekehre dich! Köpfe nicht diesen kleinen Sünder, köpfe die großen Missetäter! Siehe, wie sie sich vor dir aufrecken, stolz, gotteslästerlich und dunkel, der Dom, die Lambertikirche, die Ägidiikirche, die Überwasserkirche, die Ludgerikirche, die Martinikirche, die Salvatikirche, die Maurizikirche. Sie sind deine großen Verführer, Volk von Münster, sie reden dir ein mit ihrem Glockengedröhne, ein christliches Volk zu sein, und hindern dich an der wahren Bekehrung und an der wahren Taufe! Auf! Wirf dich ihnen entgegen! Erklettere ihre Türme mit Steigeisen! Durchsäge ihr Gebälke! Schmettere ihre mit Kupfer und Blei gedeckten Turmspitzen in den Staub! Köpfe sie zum Zeichen, daß das Hohe von Gott erniedrigt wird! Auf! Auf!

Stürzt davon.

DIE VON DER RECKE: Volk von Münster, mein braver Gresbeck, meine Töchter! Der Mann hat recht. Marschiert mit mir eurem Bürgermeister nach.

Marschiert davon.

FRAU LANGERMANN: Die Türme herunter!

DAS VOLK: Die Türme herunter! Die Türme herunter!

Alle mit dem Blutgerüst Knipperdollinck nach. Nur die Gemüsefrau und der Mönch bleiben zurück.

MÖNCH: Seht, Gemüsefrau, einen Gulden! Er brachte mir Glück! Und seht meinen Kopf auf meinen Schultern, wie er gerade sitzt, weil mich die Mathematik liebt.

GEMÜSEFRAU: Abwarten! Kommt Zeit, kommt Gelegenheit. Wer nicht geköpft wird, wird gehängt. Das soll spanischer Stil gewesen sein? Sonst sprang mir bei jeder Hinrichtung ein Kopf in den Schoß. Ich legte ihn zwischen meine Kohlköpfe, und das war deutscher Stil.

MÖNCH: Meine Vernunft wird diese unvernünftige Welt be-
zwingen.

GEMÜSEFRAU: Traut Euch nur nicht zuviel zu. Die Welt ist
nicht nur unvernünftig, sie ist auch dreigeteilt. Katholiken,
Lutheraner, Wiedertäufer. Die Frage ist nur, wo liegt das Geschäft? Mönchlein, machen wir, daß wir aus der Stadt kommen.

Beide ab.

Sakristei. Matthison, Bockelson, Rothmann, Krechting, Staprade,
Vinne und Klopriß treten einer hinter dem andern in einer Prozession
auf, von Matthison angeführt, große Kreuze tragend.

MATTHISON: Ehre sei Gott in der Höhe.

DIE ANDERN: Ehre sei Gott in der Höhe.

MATTHISON: Berichtet, Brüder.

ROTHMANN: Es treffen immer noch Täufer aus ganz Deutschland ein.

KRECHTING: Besonders Weiber.

STAPRADE: Zuviele Weiber.

MATTHISON: Freuen wir uns über jede Seele, Bruder Staprade. Nachrichten aus dem Reich?

VINNE: In Lübeck ist der Bürgermeister zu uns übergetreten.

KLOPRISS: In Straßburg sammeln sich die Täufer wieder.

STAPRADE: Im Schwarzwald wird evangelisiert.

ROTHMANN: In Böhmen und Mähren werden wir aufs neue verfolgt.

KRECHTING: Unsre schweizerischen Brüder beten für uns in den Verliesen der Zwinglianer.

MATTHISON: Wehe dir, Zürich!

ROTHMANN: Deutschland ist in Aufruhr.

MATTHISON: Brüder, während der Prozession durch die Straßen der Stadt in die Sakristei der Überwasserkirche erleuchtete mich Gott.

BOCKELSON: Amen.

Sammelt die Kreuze ein.

MATTHISON: Brüder, die Lutheraner und die Päpstlichen fürchten die Bibel und zittern, daß man sie anwende, wir Täufer fürchten uns nicht davor. Wir führen die Restitution durch, die Wiederherstellung der Kirche, wir gründen ein neues Jerusalem, damit das menschliche Geschlecht wieder hergestellt werde in seiner Unschuld auf Grund des Alten und des Neuen Testamentes. Darum aber müssen wir nicht nur den Glauben, sondern auch das Gesetz erneuern, denn was hülfe es dem Glauben, wenn unser Gesetz das alte Gesetz des Kaisers und des Papstes bliebe, ein Gesetz, welches die Eigensucht unter den Menschen fördert und deren Zerfall in Arm und Reich, in Ohnmächtige und Mächtige? Daher soll im neuen Jerusalem ein neues Gesetz herrschen. Es darf unter uns kein Kaufen und Verkaufen, keine Arbeit um Geld, keine Renten und keinen Wucher, kein Essen und Trinken von der Armen Schweiß mehr geben.

BOCKELSON: Amen.

MATTHISON: Brüder, wir haben in der Stadt Gottes die Gütergemeinschaft einzuführen, denn es steht geschrieben: Die Menge aber der Gläubigen war ein Herz und eine Seele; auch sagte keiner von seinen Gütern, daß sie sein wären, sondern es war ihnen alles gemeinsam.

BOCKELSON: Amen.

ROTHMANN: Noch hängt das Volk am Besitz, Bruder Matthison.

STAPRADE: Noch müssen wir Geduld mit ihm haben.

KRECHTING: Noch ist unsere Macht nicht unerschütterlich.

VINNE: Noch befinden sich viele heimliche Anhänger des Bischofs in der Stadt.

KLOPRISS: Führen wir die Gütergemeinschaft später durch.

Matthison teilt große brennende Kerzen aus.

MATTHISON: Das Reich Gottes drängt. Es rüttelt ungeduldig an den Toren und fordert mit lauter Stimme Einlaß. Wir dürfen nicht zögern. Geht wieder auf die Straßen und in die Kirchen, bereitet das Volk mit Belehrungen und Gebeten vor: ihr habt drei Tage Zeit, und das neue Gesetz wird eingeführt.

BOCKELSON: Amen.

Die Prozession setzt sich erneut in Bewegung, nun je zwei nebeneinander, mit Matthison als letztem.

MATTHISON: Nachrichten vom Bischof, Bruder Klopriß?

KLOPRISS: Brüder in Köln bestätigen, daß er dort ein Heer sammelt.

STAPRADE: Achttausend Landsknechte.

KRECHTING: An der Stadtmauer sind Verbesserungen vorzunehmen, und die Bürger müssen aufgeboten werden. Wir können viertausend Mann stellen.

MATTHISON: Die Stadtmauer wird nicht ausgebessert, und die Bürger werden nicht aufgeboten.

Die Prozession kommt zum Stillstand. Alle wenden sich Matthison zu.

BOCKELSON: Amen.

ROTHMANN: Gedenkt Bruder Matthison Verhandlungen mit dem Bischof aufzunehmen? Noch sind seine Forderungen nicht ganz unannehmbar. Er würde unsere Regierung bestätigen, wenn wir seine Oberhoheit anerkennen.

MATTHISON: Bruder Rothmann weiß, daß ich jede Forderung des Bischofs zurückweise, ohne sie zu prüfen. Wir überlassen die Verteidigung der Stadt dem, dessen Sache sie ist.

KRECHTING: Und wessen Sache ist sie nach Bruder Matthisons Meinung?

MATTHISON: Gottes Sache.

BOCKELSON: Amen.

KRECHTING: Wenn Bruder Matthison glaubt, der Allmächtige bemühe sich persönlich –

ROTHMANN: Auch theologisch ist das zu riskant.

MATTHISON: Es ist Gotteslästerung, zu denken, Er, der unser aller Vater ist, ziehe seine Hand von uns, wenn wir wehrlos und in Demut den Feind erwarten.

STAPRADE: Bruder Matthison! Angesichts von achttausend wohlbewaffneten Landsknechten –

VINNE: Du sollst Gott, deinen Herrn, nicht versuchen! Das steht schließlich auch geschrieben.

KLOPRISS: Ein Wunder läßt sich nicht erzwingen!

MATTHISON: Aber erflehen! Wer Münster wider den Bischof verteidigt, wird vor Gericht gestellt!

BOCKELSON: Amen.

MATTHISON: Er soll durch das Schwert umkommen, und wäre er einer unter uns.

BOCKELSON: Als unmittelbar erleuchtet von Gott hat Bruder Matthison das Recht, seine Entschlüsse auch gegen die Mehrheit des Rates durchzuführen.

MATTHISON: Die Gemeinde wartet.

BOCKELSON: Amen.

MATTHISON: Ehre sei Gott in der Höhe.
DIE ANDERN: Ehre sei Gott in der Höhe.
Alle ab.

Lager. Johann von Büren und Hermann von Mengerssen mit einer Leiter treten auf.

VON BÜREN: Die Käfige!
Drei Käfige senken sich von oben herunter.
VON BÜREN: Das Rad.
Der 1. Landsknecht rollt ein Rad zum Foltern herein.
VON BÜREN: Der protestantische Galgen.
VON MENGERSSEN: Der katholische Galgen.
Zwei Galgengerüste senken sich von oben herunter. Von Büren untersucht die Käfige, von Mengerssen besteigt die Leiter, fettet die Stricke des katholischen Galgens ein.
VON BÜREN: Morgen, beim Aufgang der Sonne, brechen wir unser Lager in Köln ab und wenden uns mit dem Heere gegen Münster. Ritter von Mengerssen, Ihr seid vom Bischof zu meinem Unterfeldherrn bestimmt worden, ich setze Euch davon in Kenntnis.
VON MENGERSSEN: Laßt uns den Zweikampf vergessen, Ritter von Büren, den wir, es sind jetzt neun Jahre her, vor Pavia im Anblick der versammelten Heere ausgefochten haben.
VON BÜREN: Es kostete Euch das rechte Ohr.
VON MENGERSSEN: Euch drei Finger der linken Hand.
VON BÜREN: Ich schwor, Euch das nächste Mal in Grund und Boden zu hauen.
Untersucht den protestantischen Galgen. Beim Kontrollieren der Stricke reißt einer.
VON BÜREN: Landsknecht, noch einen Strick!
Der 1. Landsknecht bringt verlangten Strick.
VON MENGERSSEN: Ihr seid Protestant und ich Katholik. Ich diente damals einem welschen König und Ihr heute einem Bischof.
VON BÜREN: Es kommt nicht darauf an, wem wir dienen. Es kommt darauf an, daß wir verdienen. Euer Franzosenabenteuer brachte Euch nicht viel ein.
VON MENGERSSEN: Zwanzig Dukaten.

VON BÜREN: Wenig. Wenig.

VON MENGERSSEN: Und neun Kinder daheim, Ritter von Büren.

VON BÜREN: Dafür fiel ich einer paduanischen Signorina in die Arme, Verehrtester, und meine Kriegsbeute schwand dahin, darunter vier Raffael.

VON MENGERSSEN: Seid froh, die moderne Malerei hält sich nicht. Meinen Michelangelo nimmt kein Mensch. Ich war gezwungen, am Bauernkrieg teilzunehmen, um die gröbsten Schulden zu tilgen.

VON BÜREN: Unrentabel, unrentabel. Bei meinem Tarif gebe ich mich mit Bauern gar nicht mehr ab. Das Gelichter ist mausearm und saugrob, man schlägt es tot und hat nichts, oder wird tot geschlagen und hat erst recht nichts.

VON MENGERSSEN: Ich stand immer auf der falschen Seite. Als Ihr Rom plündern durftet, verteidigte ich den bankrotten Papst Clemens.

VON BÜREN: Päpste sind immer schlecht.

VON MENGERSSEN: Der Heilige Vater vergab mir die Sünden, das ist alles.

VON BÜREN: Mager, mager.

VON MENGERSSEN: Gott sei's geklagt.

Von Büren untersucht das Rad.

VON BÜREN: Die Plünderung Roms war mein letztes gutes Geschäft, seitdem nichts als Bagatellen. Die Packschen Händel, lächerlich, die Verteidigung von Wien, man zahlte Hungerlöhne, und für die Verteidigung von Güns schuldet mir König Ferdinand zwanzigtausend Gulden. Dabei haben mir die Türken ein Angebot gemacht: Oberbefehl, zweihunderttausend Goldstücke im Jahr, ein Viertel der Beute, ein Sommer- und ein Winterpalais, Harem, und Christ kann ich auch bleiben.

VON MENGERSSEN: Ich erhielt schon lange kein ausländisches Angebot mehr.

VON BÜREN: Kopf hoch.

VON MENGERSSEN: Das Gold Münsters ist meine letzte Hoffnung.

VON BÜREN: Weiß nicht, weiß nicht. Ich habe lange gezögert, das Geschäft zu übernehmen. Die Täufer haben die Gütergemeinschaft eingeführt, da verflüchtigen sich die größten Vermögen.

VON MENGERSSEN: Ritter von Büren, Ihr nehmt mir jeden moralischen Mumm.

VON BÜREN: Habt Ihr die Landsknechte inspiziert?

Die zwei Landsknechte und der Mönch sind aufgetreten.

VON MENGERSSEN: Gewiß, Ritter von Büren.

VON BÜREN: Was denkt Ihr?

VON MENGERSSEN: Sie sehen schäbig aus.

VON BÜREN: Viele haben die Franzosenkrankheit.

VON MENGERSSEN: Die Bewaffnung stammt von einer kaiserlichen Armee, die vor mehr als dreißig Jahren von den Schweizern zusammengedroschen wurde.

VON BÜREN: Wenn der Bischof nicht bessere Truppen auftreibt, nehmen wir Münster nur mit Hunger.

1. LANDSKNECHT: Ein entlaufener Mönch, Feldherr.

2. LANDSKNECHT: Er will Euch sprechen, Feldherr.

VON BÜREN: An den protestantischen Galgen.

1. LANDSKNECHT: Zu Befehl, Feldherr.

VON MENGERSSEN: An den katholischen Galgen.

2. LANDSKNECHT: Zu Befehl, Unterfeldherr.

VON BÜREN: Ritter von Mengerssen, der Mönch entlief dem Kloster und damit seinem Glauben. Er ist für den protestantischen Galgen bestimmt.

VON MENGERSSEN: Für den katholischen Galgen. Als entlaufener Mönch stellt er eine Versündigung gegen die alleinseligmachende Kirche dar.

MÖNCH: Ist die Welt aus den Fugen? Hat sich die Vernunft verzogen? Ist jeglicher Verstand verfinstert?

VON BÜREN: Vortreten!

Der Mönch tritt vor.

VON BÜREN: Mönchlein, was hast du zu meckern?

MÖNCH: Ich bin Hilfslehrer für Mathematik im Dienste des Bischofs.

VON BÜREN: Uns egal.

MÖNCH: In Münster wollten sie mir den Kopf abschlagen, und hier soll ich hangen.

VON BÜREN: Wir hängen jeden auf, der uns über den Weg läuft.

MÖNCH: Ich bin gekommen, meine Dienste anzubieten. Im Feldzug gegen den münsterischen Wahnsinn hat auch der Intellektuelle an die Front zu eilen, hat auch der Mathematiker seine Pflicht zu tun!

VON BÜREN: Brauchen keine Mathematik.

MÖNCH: Ich vermag genau die Bahn einer Kanonenkugel vorauszuberechnen.

VON BÜREN: Ich habe einen Schweizer, einen Zwinglianer, der stellt vor mein Geschütz zwei schweizerische National-heilige, spuckt zwischen sie und richtet die Kanone nach der Spucke. Er trifft immer. Abtreten!

Der Mönch tritt zurück.

MÖNCH: Ich verhungere, wenn niemand meine Wissenschaft braucht.

VON BÜREN: Du verhungerst nicht, weil du gehängt wirst. An den protestantischen Galgen.

1. LANDSKNECHT: Zu Befehl, Feldherr.

VON MENGERSSEN: An den katholischen Galgen.

2. LANDSKNECHT: Zu Befehl, Unterfeldherr.

VON BÜREN: Ritter von Mengerssen: Ich hätte größte Lust, Euch den Handschuh ins Gesicht zu schleudern.

VON MENGERSSEN: Und ich Euch die restlichen Finger her-unterzuhauen.

VON BÜREN: Als Oberfeldherr bestimme ich den Galgen!

VON MENGERSSEN: Nicht gegen mein katholisches Gewis-sen!

VON BÜREN: Dann zieht!

VON MENGERSSEN: Ritter von Büren! Da wir uns über den Galgen nicht einigen können, schlage ich vor, den Mönch zum Feldgeistlichen zu ernennen.

VON BÜREN: Wozu?

VON MENGERSSEN: Feldherr! Ihr befehligt eine bischöfliche Armee!

VON BÜREN: Ein Feldgeistlicher kostet.

VON MENGERSSEN: Nicht der Mönch!

VON BÜREN: Vortreten!

Der Mönch tritt vor. Von Büren betrachtet ihn.

VON BÜREN: Mönchlein, du bist zum Feldgeistlichen des bischöflichen Heeres ernannt, ohne Sold, doch mit dem Recht, mitzuplündern.

MÖNCH: Feldherr! Ich bin für diesen Posten ungeeignet.

VON BÜREN: Ins Lager mit dir!

MÖNCH: Ich bin kein Theologe.

VON BÜREN: Abtreten!

Der Mönch tritt zurück.

MÖNCH: Ich bin überhaupt kein religiöser Mensch.

VON BÜREN: Macht nichts. Noch heute wird bei der Kavallerie gepredigt. Abführen!

MÖNCH: Ich protestiere, ich bin ein Humanist!

Wird abgeschleppt.

VON MENGERSSEN: Ein Humanist! Eine Schande, daß er dem Galgen entgangen ist!

VON BÜREN: Diese ewige deutsche Uneinigkeit!

Im bischöflichen Palast.
Bockelson und Täuferinnen im Chorgestühl.

BOCKELSON: Wohlan!
Ich werde mit all ihren Göttern
Die thebanischen Tempel auf meinen Leib laden
Und unter der zerstörten Stadt mich begraben
Und wenn meinen Schultern aufgebürdet
Die Stadtmauern
Mir ein zu leichtes Gewicht
Und die sieben Tore einsinken
So will ich die ganze Last des Weltgebäudes
Den Himmlischen entgegenschmettern
Mich mit ihnen zu vernichten!
  Krechting tritt auf.
BOCKELSON: Bruder Krechting, Ihr scheint verwirrt. Ich rezitiere meine alten Rollen. Seneca.
KRECHTING: Bruder Bockelson! Ihr seid ein heiliger Mann, und ich finde Euch von halb entblößten Weibern umgeben!
BOCKELSON: In Ehren, Bruder Krechting, in Ehren, Ihr braucht Euch nicht abzuwenden. Meine zukünftigen Ehefrauen, den besten Familien des Reiches entlaufen: die Tochter eines Bürgermeisters, die Nichte eines Kardinals, eine Holländerin dazwischen, einst ein strammes Freudenmädchen aus Leyden – jetzt ist die Dirne bekehrt –, eine Baronin, ein Reichsfräulein, und die dicke Blonde ist eine richtige Prinzessin von Trübchen aus der Schachener Linie.
KRECHTING: Ihr wollt sechs Weiber heiraten?
BOCKELSON: Noch zehn weitere.
KRECHTING: Bruder Bockelson!
BOCKELSON: Ihr seid ein zaghafter Täufer, Bruder Krechting. Soll in Münster nur der lumpige Besitz abgeschafft werden? Keucht unser krankes Christentum nicht auch unter dem Joche der unnatürlichen Einehe? Ist nicht auch sie auf Grund des Alten Testamentes zu restituieren? Habt Ihr nicht von Salomo ge-

lesen? Er brachte es auf tausend Weiber und ist weiser denn alle Philosophen gewesen. Ich werde dem Rat der Täufer beantragen, gestützt auf das Vorbild der Patriarchen und auf das Zeugnis der Apostel, die Vielweiberei wieder einzuführen, damit das Gebot des Herrn, seid fruchtbar und vermehret euch, nach besten Kräften erfüllt werden kann.

KRECHTING: Ihr macht die Täufer zum Gespött der ganzen Christenheit!

BOCKELSON: Um so mehr Zulauf werden wir haben!
Nur dem Tollkühnen, der Größtes wagt
Blutig Göttliches, heilig Wahnsinniges auch
Stürzt sich die Menge blindlings nach des Volks
Und sei es in des Tartarus finsteres Loch.
Auch Seneca. Nero. Ein gigantischer Durchfall in Amsterdam.
Ich wurde ausgepfiffen, aber es lag am Stück.

KRECHTING: Ihr seid ein Schauspieler geblieben und habt eine neue Rolle gefunden.

BOCKELSON: Die Rolle meines Lebens, Bernhard Krechting. Aber auch Ihr habt Euch eine neue Rolle ausgesucht. Ihr gebt Euch als ehemaliger Leutnant der kaiserlichen Armee aus und seid in Wirklichkeit ein davongejagter Prediger aus Gildehaus.

KRECHTING: Ihr wißt?

BOCKELSON: Ich schweige.

KRECHTING: Ich bin Euch ausgeliefert.

BOCKELSON: Verlaßt Euch auf meinen schauspielerischen Instinkt: Eine Komödie, die nur halb gewagt wird, ist schlecht, auch unsere Komödie müssen wir ganz wagen.
Ich fege – Prometheus; meine erfolgreichste Rolle. Ich spielte sie in Leyden siebenmal. Das Publikum tobte –
Ich fege mit einem einzigen gewaltigen Fausthieb
Von ihren Sitzen die alten Götter
Den tyrannischen Jupiter
Den Heuchler Apoll
Den trügerischen Pluto
Und Venus, die geile Metze
Oder
Geschmiedet an den schwarzen Kaukasus

Zerhacken blutgefärbt
Die Geier
Meine Leber!

KRECHTING: Ihr träumt, König von Münster zu werden.

BOCKELSON: Den Täufern ist ein König verheißen.

KRECHTING: Ein König, nicht ein Komödiant.

BOCKELSON: Meint Ihr? Laßt den Bischof mit seinen Landsknechten Münster umzingeln, dann wird dem eingeschlossenen Volk nichts bleiben als Hunger und Phantasie, mit der Mixtur werden sie mich zu ihrem König salben.

KRECHTING: Die Landsknechte werden Münster nicht umzingeln, sondern im ersten Ansturm erobern. Jan Matthison ordnete Gewaltlosigkeit an. Die bischöfliche Armee steht vor Hamm, und unsere Stadtmauern sind immer noch schadhaft.

BOCKELSON: Wißt Ihr nicht von der schönen Divara, dem jungen Weibe des alten Propheten?

KRECHTING: Wie bringt Ihr die mit unserer verzweifelten Lage zusammen?

BOCKELSON: Der eine bewundert in den Nächten den Busen seiner Frau, der andere stopft Löcher in der Stadtmauer aus.

KRECHTING: Das wäre Verrat.

BOCKELSON: An Matthisons Verschrobenheit, nicht an unserer Sache.

KRECHTING: Ich muß es wagen.

BOCKELSON: Verlassen wir uns auf die schöne Divara, Leutnant! *Krechting ab.*

BOCKELSON: Doch ihr, meine Töchter, verkündet, ihr hättet einen König gesehen, Salomo nicht unähnlich und mir gleichend, sitzend auf einem Throne, schwebend in einer goldenen Wolke, einen König, der da kommen werde, Gericht zu halten über diese arme Erde.

DIE TÄUFERINNEN:
Uns wird ein König kommen
Aus Gottes großer Huld
Zu lösen alle Frommen
Von Armut und von Schuld

Er kommt mit seinem Trosse
Geritten auf die Nacht
Auf einem weißen Rosse
Zur letzten großen Schlacht

Die Fürsten und die Reichen
Sie sinken in den Staub
Vom Sturmwind ohnegleichen
Verweht wie dürres Laub

Doch wird der Kampf sich legen
Bevor der Hahn noch schreit
Und er kommt uns entgegen
In goldnem Königskleid

Von ihm erwählt als Bräute
Wir ziehen zu ihm ein
Mit festlichem Geläute
Sein Eigentum zu sein

7. KNIPPERDOLLINCK UND JUDITH

Ägidiitor. Knipperdollinck und Judith, beide in Bettelkleidern.

JUDITH: Du verbirgst dich, Vater.

KNIPPERDOLLINCK: Ich habe mich in die Finsternis verkrochen.

JUDITH: Du frierst.

KNIPPERDOLLINCK: Die Nacht ist kalt.

JUDITH: Der Morgen kommt bald.

KNIPPERDOLLINCK: Ich schickte dich immer wieder fort, und du folgst mir immer wieder nach.

JUDITH: Du bist mein Vater.

KNIPPERDOLLINCK: Dein Vater ist der reiche Mann Bernhard Knipperdollinck, und ich bin der arme Lazarus.

JUDITH: Ich bin die Tochter des armen Lazarus, in Fetzen und Lumpen gekleidet wie du.

KNIPPERDOLLINCK: Die Fenster des reichen Mannes sind erleuchtet.

JUDITH: Bockelson feiert mit seinen Weibern.

KNIPPERDOLLINCK: Der Wind bläst. Ich liebe sein Sausen. Der Himmel rötet sich.

JUDITH: Die Landsknechte sind nahe der Stadt.

KNIPPERDOLLINCK: Der Tod auch.

JUDITH: Gott wird sich erbarmen.

KNIPPERDOLLINCK: Er hat sich erbarmt. Er schickte die Armut, er schickte die Kälte, er schickte die Finsternis, und er wird den Hunger schicken.

JUDITH: Ich fürchte mich.

KNIPPERDOLLINCK: Fürchte dich nicht. Steigen wir zum Ufer der Aa hinab, predigen wir den Ratten das Kommen des Friedensfürsten, des glorreichen Königs der Täufer.

Beide ab.

Vor der Stadt.
Die beiden Ritter, die Landsknechte und der Mönch.

VON BÜREN: Münster in Westfalen, regiert von einem Bäckermeister und von einem Schauspieler!

VON MENGERSSEN: Von Ketzern, welche selbst von den Ketzern Ketzer genannt werden!

VON BÜREN: Sehr gut.

Du Stadt, von der der große Doktor Martin Luther schreibt, daß der Teufel daselbst haushalte und gewiß ein Teufel auf dem andern sitze wie die Kröten!

VON MENGERSSEN: Ausgezeichnet.

Du Stadt, von der der gelehrte Doktor Johannes Eck sagt, daß die Ewigkeit der Hölle nicht lange genug daure, um dich für alle deine Sünden garzukochen!

MÖNCH: Stadt der Unvernunft!

VON BÜREN: Maulhalten, Feldgeistlicher, Beleidigungen sind Vorrecht der Armee. Legt los, Landsknechte!

1. LANDSKNECHT: Stadt der Unvernunft:

2. LANDSKNECHT: Stadt der Unfreiheit, Stadt der Ungerechtigkeit!

VON BÜREN: Nicht doch, Kerl, Unfreiheit ist eine Bürgertugend, und Ungerechtigkeit ziert den Soldatenstand.

2. LANDSKNECHT: Verzeihung, Feldherr, wird nicht wieder vorkommen. Stadt der Freiheit! Stadt der Gerechtigkeit!

1. LANDSKNECHT: Stadt der Gleichheit!

2. LANDSKNECHT: Stadt der Volksgemeinschaft!

1. LANDSKNECHT: Stadt der Gütergemeinschaft!

2. LANDSKNECHT: Stadt der Nächstenliebe!

VON BÜREN: Gut, Landsknechte, gut, das nenne ich prächtige Beleidigungen. Jetzt komme ich wieder.

Stadt der Humanité!

VON MENGERSSEN: Humanité? Was soll denn das bedeuten, Ritter von Büren?

VON BÜREN: KeineAhnung, ein saftiges französisches Schimpf-wort! Jetzt einschüchtern. Los!

1. LANDSKNECHT: Ritter Johann von Büren ist vor deinen Mauern erschienen, Stadt der Humanité, dich zu zertrümmern wie eine hohle Nuß!

2. LANDSKNECHT: Ritter Hermann von Mengerssen ist vor deinen Toren aufgerückt, Stadt des Friedens, dich auszublasen wie ein Kerzenlicht!

VON BÜREN: Ich erdolchte den König der Franzosen in den Armen seiner teuersten Kurtisane!

VON MENGERSSEN: Ich knüpfte den Sultan der Türken an das Minarett seiner erhabensten Moschee!

VON BÜREN: Ich ersäufte den Papst –

VON MENGERSSEN: Ritter von Büren! Ihr seid der Feldherr einer bischöflichen Armee –

VON BÜREN: Ich ersäufte den Papst zu Rom eigenhändig im Fasse seines kostbarsten Meßweines!

VON MENGERSSEN: Schön. Dann sag ich auch etwas gegen die Lutheraner. Ich verbrannte zu Wittenberg tausend Lutheraner auf einem wohlgeschichteten Haufen von tausend Luther-bibeln!

1. LANDSKNECHT: Ergib dich, Stadt!

2. LANDSKNECHT: Pariere, Münster!

In der Stadt. Ägidiitor. Matthison und der Rat der Täufer treten auf, Divara am Arme Matthisons.

MATTHISON: In der Stadt Gottes herrscht Friede.

ROTHMANN: Das Volk vertraut auf Gott und verrichtet seine tägliche Arbeit.

MATTHISON: Bruder Bockelson, ich vertraue Euch mein Weib Divara an, sie ist schwanger. Meine Abwesenheit dauert kurze Zeit, doch wird sie Hilfe im Gebet brauchen.

VON BÜREN *hinter dem Tor:* Fleht um Gnade, ihr trotzigen Täufer, Rebellen gegen Kaiser und Reich, oder ich schlachte euch hin!

MATTHISON: Reicht mir das Schwert, Bruder Staprade!
Herr!
Du hast mir diese Stadt übergeben

46

Ich habe gehandelt in Deinem Namen
Ich ließ töten in Deinem Namen
Ich bin schuldig geworden in Deinem Namen
Laß mich weiterhin die Schuld tragen
Damit Dein Volk nicht schuldig werde
Herr! Herr!
Du hast denen geholfen, die an Dich glaubten
Ich stehe vor Dir im Angesicht Deiner Feinde
Breitbeinig stehen sie vor unseren Toren
Sie verhöhnen uns
Sie sind gekommen, Dein Volk zu vernichten
Ihre violetten Fahnen sind entbreitet
Ihre Belagerungstürme ragen gen Himmel
Ihre Geschütze sind gegen Deine Stadt gerichtet
Hilf, Herr!
Du ließest Simson mit einer Eselsbacke Tausend schlagen
Laß mich jetzt mit diesem Schwert das Heer des Bischofs besie-
gen

Zieht durch das von Bockelson geöffnete Tor aus der Stadt.

BOCKELSON: Es ist ein feierlicher Augenblick, Bruder Matthison in den Tod schreiten zu sehen.

Schließt das Tor wieder.

DIVARA: Sie schlagen ihn tot! Sie schlagen ihn tot!

Rennt zum Tor.

DIVARA: Laßt mich zu ihm! Laßt mich zu ihm!

BOCKELSON: Meldet, weil er in seinem Hochmut den Sieg
allein habe erringen wollen, der doch nur dem Volke Gottes zu-
komme, sei Jan Matthison, der Prophet, nach tapferem Kampfe
dem Feind erlegen; verkündet, daß in dieser Stunde der Not der
Herr mich, Johann Bockelson aus Leyden, zum König über
Münster eingesetzt habe, damit ich, umgeben von den vier Erz-
engeln und den Cherubim, dem Antichrist widerstehe; ruft
ferner zu meinem Statthalter und obersten Richter Bernhard
Knipperdollinck aus, den heiligen Mann, zum Zeichen, daß
mein Königtum sich nicht auf Reichtum und Macht, sondern
auf Armut und Ohnmacht gründe; fordert endlich die Männer
und Weiber dieser Stadt auf, mit Waffen und Pechkränzen und

heißem Kalk die Mauer zu besetzen, ja die steinernen Heiligen aus den Kirchen zu reißen, um damit jene zu zerschmettern, die an sie glauben und die jetzt, uns zu vernichten, die Wälle Jerusalems berennen!

Täufer stürzen hinaus.

DIVARA: Mein Mann! Mein Mann!

BOCKELSON: Was Euch widerfahren, Königin, war widerwärtig

Allein

Von einem vergangen Helden mit einem zukünftigen schwanger

Faßt neue Hoffnung jetzt durch einen Helden, welcher gegenwärtig

Antonius!

Beide ab.

Vor der Stadt.
Ritter von Büren und der Mönch wanken über die Bühne.

VON BÜREN: Ich werde katholisch!

MÖNCH: Wir sind zusammengeschlagen! Wir sind jämmerlich in Stücke gehauen!

VON BÜREN: Steding tot, Westerholt tot, Oberstein tot!

MÖNCH: Eine kapitale Niederlage, Feldherr.

VON BÜREN: Alles tot. Dabei las ich dem versammelten Heere vor dem Angriff mit lauter Stimme aus der Bibel vor, eine prächtige Siegeslosung, Prophet Micha, ganz zufällig gefunden: Er aber wird auftreten und weiden in der Kraft des Herrn und im Sieg des Namens des Herrn.

MÖNCH: Ihr habt die Losung falsch interpretiert, Feldherr. Er aber wird auftreten – damit war der Schauspieler gemeint.

VON BÜREN: Als Katholik wäre mir das nicht vorgekommen!

MÖNCH: Ihr hättet zuerst einen Scheinangriff ausführen sollen und dann mit der Hauptmacht –

VON BÜREN: Laßt mich mit Eurem Intellekt in Frieden!

MÖNCH: Einen kleinen Sieg habt ihr dennoch erfochten: Eure Landsknechte hieben den Täuferpropheten Jan Matthison in Stücke.

VON BÜREN: Ich konvertiere auf der Stelle. Marsch, Feldgeistlicher! Bekehrt mich zum Glauben der alleinseligmachenden Kirche! Gießt Weihwasser in Kübeln über mich, laßt mich Heiligenbilder umarmen, häuft Berge von Ablaßzetteln auf mein sündiges Haupt, stellt mit mir an, was dazu nötig ist, los, los!

Ritter von Mengerssen und 2. Landsknecht hinken über die Bühne.

VON MENGERSSEN: Ich werde protestantisch!

2. LANDSKNECHT: Wir sind radikal zerschmettert.

VON MENGERSSEN: Verraten, hintergangen, verspottet, invalid. Ich war ein treuer Sohn der Kirche, da prasselt mir, von Weibern heruntergekippt, mein Schutzpatron auf den Leib, der heilige Augustin, und mein Bein schwindet von mir wie der Schnee von den Feldern, wenn der Frühling kommt.

2. LANDSKNECHT: Dahin Euer Bein, dahin Euer Heer.

MÖNCH: Gedenkt Eurer Sünden, Unterfeldherr. Der heilige Augustin hätte schlimmer mit Euch verfahren können, bei Eurer vertrottelten Strategie.

VON MENGERSSEN: Feldgeistlicher, Ihr seid zum protestantischen Feldprediger ernannt. Bekehrt mich flugs zum Glauben des großen Martin Luther, schlagt mir den Katechismus um die Ohren, brüllt mich mit Kirchenliedern um, bläut mir die Gnade ein!

I. LANDSKNECHT *rennt über die Bühne:* Die Täufer fallen aus der Stadt! Sie vernageln unsere Geschütze!

VON BÜREN: Steht mir bei, ihr Heiligen!

VON MENGERSSEN: Steh mir bei, Huß! Steh mir bei, Luther! Steh mir bei, Zwingli!

VON BÜREN: Ritter von Mengerssen! Keine ketzerischen Sprüche!

VON MENGERSSEN: Ritter von Büren, seht meine Wunde! Ihr blickt auf einen protestantischen Stumpf!

VON BÜREN: Humpeln wir ins Lager zurück!

Marktplatz.
Das Volk trägt Bockelson als König durch die Stadt und singt das
Täuferlied.

DIE MENGE:
Allein Gott in der Höh' sei Ehr
Und Dank für seine Gnade
Darum, daß nun und nimmermehr
Uns rühren kann ein Schade
Ein Wohlgefallen Gott an uns hat
Nun ist erfüllt sein Friedensrat
All Fehd' hat nun ein Ende.

ROTHMANN: Es lebe König Bockelson!
DIE MENGE: Hosiannah!
KRECHTING: Es lebe sein Statthalter Bernhard Knipperdol-
linck!
DIE MENGE:
Halleluja! Alleluja!
Wir beten an und loben dich
Wir bringen Ehr und danken
Daß Du, Gott Vater, ewiglich
Regierst ohn alles Wanken
Ganz unbegrenzt ist Deine Macht
Allzeit geschieht, was Du bedacht:
Wohl uns solch eines Herren.

Lager.
Der Bischof mit einem Schreiben Bockelsons und ein Landsknecht
mit einem kleinen Tisch, darauf ein verhüllter Gegenstand in einer
Schüssel.

BISCHOF: Verdammt.
LANDSKNECHT: Zu Befehl, Exzellenz.
BISCHOF: Dieser Fluch ließ sich nicht unterdrücken. Der lumpige Täuferkönig fordert meine Unterwerfung.
LANDSKNECHT: Jawohl, Exzellenz.
BISCHOF: Ich gebe diesen Krieg nicht auf, und sollte ich wie ein Bettler von einem Fürst zum andern ziehen.
LANDSKNECHT: Ich bringe den Kopf Jan Matthisons, des falschen Propheten, sehr wohl präpariert.
BISCHOF: Stell ihn hin.
LANDSKNECHT: Zu Befehl, Exzellenz.
BISCHOF: Geh.
    Rollt sich zum Tischchen, enthüllt den Kopf, betrachtet ihn.
Das bist du also, Jan Matthison
Das sind deine Augen, und das ist dein grauer Bart
Länger als der meine, nur nicht mit der gleichen Sorgfalt gepflegt
Deine Niederlage ist besser als meine
Du zogst mir entgegen
Allein, grandios in deinem Glauben
Ein Grobian, vielleicht, voll finsterer Irrlehren, möglich
Voll Plänen nach Umsturz der Dinge, sicher
Doch besessen von Gerechtigkeit, getrieben von Hoffnung
Ich dagegen wollte die Welt nicht ändern wie du
Ich wollte im Unvernünftigen vernünftig bleiben
Nun muß ich weiterhin an einer faulen Ordnung herumflicken
Ein Narr, ein hoffnungsloser Diplomat
Ein Greis, dem nichts mehr bleibt als greisenhafte Zähigkeit
Behaftet mit einem neuen Gegner

Welche Poß!
Als Komödienfreund stehe ich nun einem Komödianten gegen-
  über
Süchtig nach großen Rollen, getrieben von einer gemeinen
  Phantasie
Auf Brettern eingeübt, mit Literatur gefüttert und mit ausge-
  droschenen Phrasen
Ist er gefährlicher als du
Sei zufrieden, Bäcker aus Harleem:
Dein Tod war lächerlich, kümmere dich nicht darum
Nur das bleibt bestehen, Prophet
Was uns ärgert und worüber wir lachen.

TEIL II

Worms.
Kaiser Karl V. in einer Sänfte.

KAISER: Ich bin Kaiser Karl der Fünfte in seinem fünfund-
   dreißigsten Lebensjahr
Eben ist die Nachricht eingetroffen, daß mein Feldherr Pizarro
   in dem neuentdeckten Kontinent über dem Meere
Die Stadt Cuzco eingenommen habe
Zwei Jahre brauchte die Nachricht, bis sie zu mir gelangte
Und ich weiß immer noch nicht so recht, wo denn dieses Cuzco
   eigentlich liegt
Mein Imperium ist dermaßen gewaltig
Daß die Sonne stets einen Teil meines Reiches röstet
So wie die glühenden Holzkohlen das Hähnchen am Spieß
Den mein niederländischer Leibkoch sorgsam dreht
Ich bin Aargauer
Meine Urahnen verließen die kleine schäbige Festung Habsburg
Nahe bei Brugg in der Schweiz
Ein Weltgeschäft zu machen: Mit Familienpolitik
Ein Unterfangen, das Disziplin, Härte, unglückliche Ehen und
   Frömmigkeit verlangt
Diese besonders, denn Völker sterben nur für religiöse Dyna-
   stien gern
Nur so haben sie das Gefühl, nicht für irgendeine Sippe zu leiden
Sondern für Gott, für seine Kirche und für die Einheit des
   Abendlandes
Das, meine ich, ist ihr Recht, das dürfen Völker wirklich ver-
   langen
So sehe ich denn vor meinem inneren Auge meine Länder
Sauber aufgeräumt von meinen Landsknechten und reingefegt
   von jeder Ketzerei durch die heilige Inquisition
Ohne Menschen meinetwegen, ein Kammerdiener genügt mir
   in meinem Weltreich
Einige Lakaien, ein Beichtvater, ein Kanzler, der Koch, den ich
   schon erwähnte, und ein Henker für alle Fälle

Auf die Untertanen kann ich verzichten, Untertanen stören nur
die erhabenen Spiele der Macht
Mein Wunsch ist, einmal in ein Kloster zu gehen
Es muß ein Kloster sein abgelegen in kahlen Bergen
Und in der Mitte seines Hofes muß ein Standbild der Gerech-
tigkeit stehen
Eine Gerechtigkeit, wie man sie überall sieht, bunt bemalt, mit
verbundenen Augen, mit einer Waage sowie mit einem
Schwert
Es muß eine gewöhnliche Gerechtigkeit sein
Um diese will ich kreisen zehn Stunden am Tage
In immer gleichem Abstand, wie um eine Sonne, jahrelang und
nichts anderes
Bevor ich, müde vom Weltregieren und fröstelnd in der Sep-
temberhitze
Meine kalten Augen schließe
Der Kanzler tritt auf.
KAISER: Noch aber ist es dumpfer Mittag, und noch bin Ich
die Sonne, um die sich alles dreht
KANZLER: Majestät!
KAISER: Wo sind wir, Kanzler?
KANZLER: In Deutschland, Majestät.
KAISER: In Deutschland? Wir vergaßen, Wir vergaßen. Wir
glaubten Uns in Unserem Palaste zu Madrid.
KANZLER: Majestät halten sich in Worms auf. Der Reichstag
ist einberufen.
KAISER: Der Reichstag! Scheußlich! Wir lieben diese deut-
schen Angelegenheiten nicht, sie sind so – unplastisch.
KANZLER: Majestät haben die Mitglieder der Kaiserlichen Aka-
demie für Malerei in Wien zu bestimmen. Die Liste, Majestät.
KAISER: Tizian, gut, Tintoretto, möglich, Maarten van
Hemskerk, tüchtig, Marinus von Roymerswaele, brav, Jan
van Amstel, wacker, Altdorfer, na ja, Holbein, geht auch noch,
Hagelmeier aus Wien – Kanzler, unmöglich. Wir sind zwar
Habsburger, doch diese wienerische Phantasielosigkeit ist nicht
akzeptabel. Müssen wir schon Bäume abgebildet sehen statt
Menschen, wie uns der Kerl zumutet, sollten wir eine Ahnung

der Kraft verspüren, mit der die Natur diese großen Pflanzen aus ihrem Schoße treibt, statt dessen erblicken wir nichts als tote Haufen pedantisch gemalten Laubes. Sonst noch was?

KANZLER: Unwichtiges. Majestät haben vor, die Fürsten zu empfangen.

KAISER: Vorführen.

Kanzler meldet die Fürsten an, die von Pagen in Sänften herein-getragen werden.

KANZLER: Seine Eminenz, der Kardinal

KARDINAL: Mein Sohn

KAISER: Eminenz

KANZLER: Seine Durchlaucht, der Landgraf von Hessen

LANDGRAF: Mein lieber Karel

KAISER: Mein lieber Flips

KANZLER: Seine Durchlaucht, der Kurfürst

KURFÜRST: Tag, Karlchen

KAISER: Kurfürst

KURFÜRST: Ein Bier

KAISER: Ein Bier für den Kurfürsten

KANZLER: Der Bischof von Minden, Osnabrück und Münster

KAISER: Rollt den Bischof in die Ecke.

Ein Page rollt den Bischof in die Ecke.

KAISER: Nun?

KARDINAL: Da dieser mickrige Bischof, mein Sohn, uns unter Anrufung der Reichsverfassung gezwungen hat, die lächer-lichen Wirren seines Ländchens zu behandeln, eines klipp und klar: Waldeck soll von meinen Schauspielern die Finger lassen!

BISCHOF: Ich löste meine Truppe auf, Eminenz.

KARDINAL: Wenn Ihr Eure Truppe auflöst, dann nur, um eine bessere zu gründen! Habt Ihr mit meinem ersten Charak-terdarsteller gesprochen oder nicht?

LANDGRAF: Und meine Salondame? Ist sie bei Euch aufge-taucht, ja oder nein?

BISCHOF: Die Feldstiefel ist mir zu unbegabt.

LANDGRAF: Zu unbegabt! Karel, er hält die Feldstiefel für unbegabt.

KURFÜRST: Tiefste Provinz!

LANDGRAF: Kurfürst, das wirst du büßen. Karel, ich besetze Eisenach.

KURFÜRST: Dann falle ich in Gießen ein.

KARDINAL: Friede.

KAISER: Ich dachte, es ginge um eine konfuse innerdeutsche Rivalität; es geht um die Feldstiefel.

KURFÜRST: Noch ein Bier!

Ein Page bringt Bier.

KARDINAL: Waldeck, ich bewunderte in Eurem Theater den schönsten Plautus meines Lebens, doch was Euer Urteil über Schauspieler betrifft, so habt Ihr diesen Johann Bockelson auch für unbegabt gehalten; eine meiner Nichten weilt an seinem – na ja, an seinem Hof – sie schrieb meiner Schwester, er rezitiere den Seneca hinreißend.

BISCHOF: Er rezitiert übertrieben, pathetisch, gräßlich!

LANDGRAF: Waldeck, komm mir nicht mit deinem Geschmack!

KARDINAL: Und was die Wiedertäufer betrifft, da habt Ihr Euch auch geirrt.

KAISER: Wiedertäufer?

KARDINAL: Harmlose Leutchen, mein Sohn, fleißig und fromm, die überall in deinem Reiche herumlaufen.

BISCHOF: Eminenz!

KARDINAL: Keine Widerrede, Bischof von Münster! Daß die Wiedertäufer die Erwachsenentaufe fordern, mein Gott, ein uralter christlicher Gedanke. Die Deutschen sind nun mal ein frommes Volk, dem Grübeln zugeneigt, jeder ist ein heimlicher Mystiker.

KURFÜRST: Noch ein Bier!

KARDINAL: Hauptsache, daß die Wiedertäufer gegen Luther sind. Sie betonen, wie ich höre, daß des Menschen Seligkeit nicht allein auf dem Glauben fuße. Erfreulich, gefällt mir außerordentlich, positives Christentum. Ich wette, sie sind im Grunde Katholiken, ohne es zu wissen, nicht in allen Details, gewiß, aber wir sind nicht engherzig. Waldeck verstand es bloß nicht, mit seinen Schäfchen umzugehen und ihre An-

60

fälligkeit fürs Phantastische in den Schoß der Kirche zurück-
zusteuern. Ein tüchtiger Dominikaner hätte da längst Ordnung
geschaffen und die Angelegenheit friedlich im Sinne Roms
geklärt.

BISCHOF: Eminenz sind völlig falsch informiert.

KARDINAL: Informiert? Solche Modetorheiten mach ich nicht
mit. Ich informierte mich noch nie in meinem Leben, das habe
ich als Kardinal nicht nötig, ich verlasse mich auf meine Intui-
tion.

BISCHOF: Eminenz! Eure harmlosen Wiedertäufer köpfen in
Münster täglich Leute.

KARDINAL: Tun wir auch.

BISCHOF: Im Namen Gottes!

KARDINAL: Tun wir auch!

BISCHOF: Sie betreiben Vielweiberei!

KARDINAL: Bischof! Wer betreibt sie nicht! Jedem von uns
wird Vielweiberei vorgeworfen, meine Mätressen werden von
den Protestanten in ihren Schriften aufgeführt, die Katholiken
weisen darauf hin, daß der Landgraf mit zwei Frauen verheira-
tet ist, der Kurfürst schläft mit jeder Stallmagd, die galanten
Abenteuer unseres Karl sind bekannter als die römische Geschichte, und Ihr, Waldeck, habt Eure ewige Anna Pölmann.

BISCHOF: Ich bin über hundertjährig, Eminenz.

KARDINAL: Aber verflucht rüstig.

BISCHOF: Bockelson ehelichte sechzehn Weiber.

KAISER: Sechzehn?

LANDGRAF: Genial.

KURFÜRST: Mensch, ist der Kerl sinnlich.

KARDINAL: Großartig, das finde ich großartig. Dieser Bursche ist ein echter Schauspieler, komödiantisch bis zum Exzeß.
Der schmeißt uns eine Rolle hin, daß wir nur so staunen. Die
sechzehn Weiber sollen wir tragisch nehmen? Wir können uns
unmöglich empören, wo wir schmunzeln müssen. Nein, nein,
keine Widerrede. Normalisiert sich die Lage, löst sich der Harem
von selber auf. Deshalb: Keinen einzigen Landsknecht für die
Belagerung von Münster.

BISCHOF: Kurfürst! Ihr müßt mir helfen!

KURFÜRST: Keinen Schwanz.

BISCHOF: Landgraf von Hessen! Ich appelliere an euren politischen Instinkt.

LANDGRAF: Mein guter Waldeck, ich gebe zu, die Wiedertäufer sind für uns Protestanten eine peinliche Angelegenheit, sie parodieren geradezu unseren evangelischen Glauben. Doch mein politischer Instinkt, an den du appellierst, sagt mir: Was sich hier zusammenbraut, ist bedenklicher: Eine katholische Verschwörung gegen die protestantischen Fürsten.

BISCHOF: Landgraf, ich gebe Euch mein Wort –

LANDGRAF: Gib es nicht, Bischof, ich kenne Karel und seinen Kardinal, und auch du wirst mitmachen. Die Wiedertäufer, die ich in meinem Lande auftreibe, knüpfe ich an die Bäume, ich verfuhr mit den rebellischen Bauern auch nicht anders, verfahr du mit deinen Täufern ebenso, doch verlange nicht, daß ich dir dabei helfe. Was einen katholischen Fürsten schwächt, stärkt mich. Keinen einzigen Landsknecht für die Belagerung von Münster.

KURFÜRST: Keinen Schuß.

BISCHOF: Ich benötige Geld, ich bin ruiniert. Wenn ich die Söldner nicht bezahle, verwüsten sie mein Land.

KARDINAL: Geld haben wir keines.

KURFÜRST: Noch ein Bier.

BISCHOF: Ich muß den Krieg so schnell als möglich beenden. Denkt an die Unschuldigen! Denkt an Frauen und Kinder!

KARDINAL: Es ist nicht unser Krieg.

BISCHOF: Denkt an das Volk.

LANDGRAF: Waldeck, jetzt wird's peinlich.

KURFÜRST: Ordinär.

KARDINAL: Bischof, ich muß mich schon fragen: In welchen Kreisen verkehrt Ihr eigentlich?

LANDGRAF: Das Volk hat zu parieren, wir dafür zu sorgen, daß pariert wird, und für das Seelenheil aller sorgt die evangelische oder die katholische Kirche, je nach dem, das ist die christliche Weltordnung. Ich wüßte nicht, weshalb wir da noch an das Volk denken sollten.

BISCHOF: Dann denkt wenigstens an Euch, an Eure Ländereien, an Eure Schlösser, an Eure Leibeigenen, an Euren Reichtum. Die Wiedertäufer führten die Gütergemeinschaft ein.

Schweigen.

KAISER: Eminenz, das sind keine treuen Katholiken.

KARDINAL: Mein Sohn, ich bin perplex.

KURFÜRST: Noch ein Bier.

LANDGRAF: Gütergemeinschaft! Ekelhaft!

KARDINAL: Das kommt bloß von Luthers Bibelübersetzung. Die Bibel ist keine Lektüre für das Volk. Wir bewilligen tausend Landsknechte.

KURFÜRST: Wir auch.

LANDGRAF: Wir zweitausend.

KARDINAL: Pagen!

Die Pagen treten auf und tragen die Fürsten hinaus.

LANDGRAF: Karel, beim Mittagsmahl sehen wir uns wieder.

KURFÜRST: Ich gehe schlafen, Karlchen.

KARDINAL: Mein Sohn. In nomine patris et filii et spiritus sancti.

Gibt ein Zeichen, die Sänftenträger bleiben stehen.

KARDINAL: Waldeck, die Landsknechte habt Ihr nun, doch was Bockelson angeht, Ihr hättet ihn engagieren sollen.

BISCHOF: Ich bereue es, Eminenz, das Unheil, das er jetzt anstellt, übertrifft bei weitem das Unheil, das er auf der Bühne hätte anrichten können.

KARDINAL: Waldeck: Sollte sich Bockelson als der Schauspieler erweisen, für den ihn meine Nichte hält, die Kirche und die deutsche Nation könnten Euch nie verzeihen.

Wird auch hinausgetragen.

KAISER: Was wollt Ihr noch, Bischof von Münster?

BISCHOF: Noch mehr Landsknechte, Majestät!

KAISER: Unmöglich.

BISCHOF: Viertausend sind zu wenig.

KAISER: Wir regieren über ein Weltreich, Wir sind mit wesentlicheren Dingen beschäftigt als mit deutschen Wirren.

BISCHOF: Die Fürsten sind blind.

KAISER: Ihr seid alt, Bischof von Münster, uralt.

BISCHOF: Und Majestät sind blutjung, das ist das Tragische.

KAISER: Wir bekämpfen die Täufer, indem Wir sie nicht beachten.

BISCHOF: Johann Bockelson ließ öffentlich das Bildnis Eurer Majestät verbrennen.

KAISER: Öffentlich?

BISCHOF: Öffentlich, Majestät.

KAISER: Ich erwarte von Euch, Bischof, als seinem Landesherrn, daß Ihr diesen Frevler an Unserer Majestät vor Gericht stellt und ihn, den Verruchten, wie es das Gesetz verlangt, nach endlosen Folterungen zum Tode durch das Rad verurteilt, um seinen Leichnam dann, eingeschlossen in einen Käfig aus Eisen, an der höchsten Spitze der Kathedrale in Münster aufzuhängen. Damit aber Eure Exzellenz imstande sind, Unseren Willen gegen den Rebellen durchzusetzen, sind Wir gewillt, Euch hundertfünfzig Landsknechte abzutreten. Kaiserliche Landsknechte.

BISCHOF: Der Verdurstende ist für jeden Tropfen dankbar und zu schwach, zurückzuweisen, was nicht helfen kann.

KAISER: Rollt den Bischof hinaus!

Pagen rollen den Bischof hinaus.

Kanzler!

KANZLER: Majestät!

KAISER: Ein maßlos hartnäckiger Greis.

KANZLER: Er rennt in sein Verderben, Majestät.

KAISER: Laßt hundertfünfzig Landsknechte aussuchen, jämmerliche Kerle, Dummköpfe, mit allen Krankheiten behaftet, mit Beulen und Gebresten, die zum Himmel stinken, denen bald ein Arm fehlt, bald ein Bein. Schickt sie nach Münster.

KANZLER: Jawohl, Majestät.

KAISER: Im übrigen imponiert Uns der Schauspieler in seiner Narrheit.

KANZLER: Eine echte Begabung, Majestät.

KAISER: Das winzige Königreich dieses lausigen Komödianten, so sehr Wir es verlachen, scheint Uns dennoch ein Abbild Unserer eigenen Macht, kommt Uns doch unser Imperium nicht minder zerbrechlich vor.

KANZLER: Sehr wohl, Majestät.

Der Kaiser klatscht in die Hände, die Pagen tragen ihn hinaus, halten auf ein Zeichen des Kaisers an.

KAISER: Was jedoch den unbegabten Dilettanten aus Wien betrifft –

KANZLER: Der Maler Hagelmeier ist aus der Liste der Akademiemitglieder gestrichen, Majestät.

KAISER: Ein Fehler, Kanzler. Nehmt ihn auf in Gnaden, als Mitglied der Kaiserlichen Akademie kann er außer der Malkunst niemandem schaden.

Marktplatz.
Knipperdollinck und Judith treten auf.

KNIPPERDOLLINCK: Gräfin Gilgal.

JUDITH: Vierfürst?

KNIPPERDOLLINCK: Du siehst mich, Töchterchen, in einer lächerlichen Verfassung: Nur mit einem Hemde bekleidet schreite ich über den Marktplatz.

JUDITH: Mein Vater ist nie in einer lächerlichen Verfassung.

KNIPPERDOLLINCK: Doch, Gräfin Gilgal, doch. Ich übe mich in Armut. Oh, sie ist eine große Kunst, die Armut. Ich dringe immer tiefer und tiefer in ihre Feinheiten ein, ihr Elend ist auf eine wundersame Weise abgestuft: die Köstlichkeiten des grimmigen Hungers und des quälenden Durstes, die Herrlichkeiten der Kälte und der Nässe sind kaum zu beschreiben. Ich entdecke immer neue Wunder, schauerliche Abgründe der Verzweiflung, Sümpfe des Jammers und Meere der Not! Und erst das Ungeziefer! Diese wunderbaren Wanzen, diese herrlichen Flöhe! Gott sei gepriesen, ich kratze mich andauernd.

Stutzt.

Das Schwert in meinen Händen, was ist das für ein Schwert?

JUDITH: Es ist das Schwert der Gerechtigkeit.

KNIPPERDOLLINCK: Ich küsse dich, Schwert! Ich küsse dich, Gerechtigkeit! Es ist ein heiliges Schwert, nicht wahr, meine Tochter?

JUDITH: Ja, Vater.

KNIPPERDOLLINCK: Wie kommt es in meine Hände, Gräfin Gilgal?

JUDITH: Der König gab es Euch, Vierfürst von Galiläa. Es ist das Zeichen des Richters.

KNIPPERDOLLINCK: Richtig! Sehr richtig! Ich soll das Schwert der Gerechtigkeit wider die Menschen brauchen! Habe ich es gebraucht, meine Tochter? Blutig gebraucht?

JUDITH: Ja, Vater.

KNIPPERDOLLINCK: Habe ich viele hingerichtet?

JUDITH: Ja, Vater.

KNIPPERDOLLINCK: Warum?

JUDITH: Um ihre unsterbliche Seele zu retten.

KNIPPERDOLLINCK: Rettete ich ihre unsterbliche Seele, rettete ich sie?

JUDITH: Ich weiß es nicht.

KNIPPERDOLLINCK: Du weißt es nicht, und ich kann es auch nicht wissen. Was ist dann Gerechtigkeit, Gräfin, wer ist dann gerecht auf dieser runden Erde?

JUDITH: Es kommt dem Menschen nicht zu, gerecht zu sein.

Das Volk von Münster tritt auf in schwarzen, zerschlissenen Kleidern. Langermann und Friese führen den Metzger herbei.

KNIPPERDOLLINCK: Weise! Sehr weise! Hört, ihr Menschen, hört, was meine Tochter, Gräfin Gilgal, sagt: Es kommt euch nicht zu! Ungerechtigkeit ist euer Los, ihr Menschen, und Irrtum. Seht mein blutiges Richtschwert, ihr Täufer. Seht die menschliche Gerechtigkeit! Sie zerhackte ohne Wissen, sie köpfte blind. Sie sei verflucht, die menschliche Gerechtigkeit.

FRIESE: Statthalter des Königs!

KNIPPERDOLLINCK: Wer seid Ihr?

FRIESE: Der Graf von Gilboa, vormals der Schuster Friese.

LANGERMANN: Der Kesselflicker Langermann, jetzt der Fürst von Sichem.

FRIESE: Wir klagen den Vicomte von Gê-Hinnom an.

KNIPPERDOLLINCK: Klagt.

DIE VON DER RECKE: Er zweifelte an Gottes Güte vor allem Volk.

KNIPPERDOLLINCK: Tretet vor, Vicomte, zittert und tretet vor.

METZGER: Gnade, Majestät, Gnade, Vierfürst von Galiläa! Ich bin ein ehrlicher Durchschnittstäufer, der seine Güter verteilte wie jedermann und vier Weiber ehelichte auch wie jedermann. Gnade!

KNIPPERDOLLINCK: Seid Ihr nicht der Großherzog von Bethsaida am See Genezareth, den ich vor achtundvierzig Stunden erst zum Vicomte von Gê-Hinnom, zum Tale der stinkenden Kadaver, degradierte, weil er vor allem Volke Gottes Weisheit in Frage stellte?

METZGER: Ich bin es, o Sonne der Gerechtigkeit, Mond der Gnade und Blitz der Rache.

KNIPPERDOLLINCK: Ihr sündigtet aufs neue, Vicomte.

METZGER: Nur eine Sekunde lang bezweifelte ich Gottes Güte, Erhabener, nur eine Sekunde lang.

KNIPPERDOLLINCK: Eine sündige Sekunde, und des Menschen Seligkeit fährt auf ewig dahin, Vicomte.

METZGER: Aus Verzweiflung, Statthalter des Königs, ich sündigte aus Verzweiflung. Weil das Volk des neuen Jerusalems vor Hunger Hunde, Katzen und Ratten verspeist statt Manna, wie es ihm verheißen!

KNIPPERDOLLINCK: Ich sollte Euer verworfenes Haupt mit einem einzigen gewaltigen Hieb von Eurem lasterhaften Leibe trennen.

METZGER: Vierfürst von Galiläa! Laßt mich nicht meine Sünden büßen. Gnade! Greift nicht zum Schwert, welches wie der Zorn des Herrn vor mir aufragt! Degradiert mich nur lustig drauflos, so bin ich zufrieden.

KNIPPERDOLLINCK: Weiter hinab kann ich Euch nicht degradieren, Vicomte. Den natürlichen Adel kann ich Euch nicht vom Leibe degradieren.

METZGER: Ernennt mich zum Marquis vom Abtritt oder zum Chevalier vom Misthaufen, nur nicht das Schwert, o Sonne der Gerechtigkeit!

KNIPPERDOLLINCK: Vicomte, Ihr seid auf der Leiter der Würden so bodenlos hinuntergerutscht, daß Ihr die erbärmlichste Figur der Täufer darstellt.

METZGER: Ich weiß, o Vierfürst.

KNIPPERDOLLINCK: Es steht geschrieben: Die Ersten werden die Letzten und die Letzten werden die Ersten sein! Nehmt das Schwert! Mein Hemd genügt mir, meine Armut und meine Tochter, die Gräfin Gilgal. Ich ernenne Euch zum Vierfürsten von Galiläa, zum Statthalter des Königs und zum obersten Richter der Täufer.

METZGER *starr*: Ihr wollt mich verlausten Vicomte vom Tale der stinkenden Kadaver zum obersten Richter ernennen? Bedenkt meine schwarze Seele, meine sündigen Gedanken!

KNIPPERDOLLINCK: Wer kann gerecht sein? Der Erste und der Letzte, Gott oder Ihr, Statthalter.

Küßt ihn.

Kommt, Gräfin Gilgal. Ich werde den König bitten, mich zum Vicomte von Gê-Hinnom zu degradieren.

Ab.

DIE VON DER RECKE: Heinrich, ich bin stolz, eine Täuferin zu sein!

METZGER: Ich bin Statthalter geworden, ihr Täufer! Ich werde unnachsichtig gegen jeden vorgehen, der nicht an unsere gerechte Sache glaubt. Es lebe Johann Bockelson, der König des neuen Jerusalems, der Stadt Gottes.

14. KÖNIG BOCKELSON

Im bischöflichen Palast. Bockelson auf Thron.

BOCKELSON: Ich speiste eben ausgezeichnet
Schlang Koteletts, Entrecôtes und blutige Roastbeefs
In mich hinein, stopfte mich, so schien es, mit der ganzen Tier-
welt voll
Begrub sie unter Mais und Sauerkraut und Bohnen und unter
Körben von Salat
Die wiederum begrabend unter runden Käseleibern
Und deckte alles zu mit einem See von Schnaps
Und einem Ozean von Bier
Die Hungerjahre, dahingelebt auf kleinen Bühnen
Erfolglos, ausgepfiffen, mit magerer Gage, sind vorüber
Nie nährte mich die Kunst, bescheiden bloß Zuhälterei
Nun mästet mich Religion und Politik: Doch sitz ich in der
Falle
Ich wurde Täufer aus beruflicher Misere
Ich brachte, arbeitslos, verworrenen Bäckern, Schustern, Schnei-
dermeistern
Rhetorik bei, sah zu, wie sie die Welt aufwühlten
Mit gläubigen Ideen, als wär sie Schlamm
Ließ endlich sie den Krieg entfesseln
Ja wurde aus einem losen Einfall gar ihr König.
Jetzt, hol's der Teufel, glauben sie an mich
Mit Titeln überhäuft, grotesken Würden, Ämtern, Idealen
Und die erzürnten Fürsten, aufgeschreckt
Weil ihre installierte Ordnung wankt
Verwechseln mich mit meinen Rollen
Halten mich für einen rasenden Herakles, für einen blutigen
Nero, finsteren Tamerlan
Noch seh ich keinen Ausweg, laß mich treiben
Wohin mein Spiel mich treibt
Umstellt von Frömmigkeit und grausem Plunder
Es machen alle mit. Das ist das Wunder
Täuferinnen treten auf.

DIE ELF: Ehre sei Gott in der Höhe.

BOCKELSON: Nein, nein, nein, nein. Wie kommt ihr wieder herein. Im Gänsemarsch!

Springt auf, beginnt zu inszenieren.

Zuerst Königin Divara und dann die andern, immer zwei nebeneinander, und schreitet königlich, gelöst, in natürlicher Majestät. Wer königlich schreitet, gleitet in den Saal. *So* gleitet er, ihr aber kommt *so*, ihr schreitet nicht, ihr trottet wie müde Ackergäule. Zurück. Die Vielweiberei ist ein Regieproblem.

Täuferinnen stellen sich auf.

Ich klatsche, und ihr tretet noch einmal auf. Ihr seid nicht irgendwo, am Hofe eines Kleinfürsten oder in irgendeiner heruntergekommenen Reichsstadt, ihr seid im neuen Jerusalem, meine Teuren, im *neuen* Jerusalem. Das verpflichtet. Die Welt um uns ist schauerlich, schon vor dem Portal unseres Palastes liegen die Leichen haufenweise herum, verschlingt man Unbeschreibliches, um am Leben zu bleiben, herrscht Verzweiflung und irre Hoffnung, foltert und mordet man einander, doch hier in diesem Saale, wem steht ihr gegenüber? Mir steht ihr gegenüber, einem Volkskönig, einem Friedensfürsten. Darum: Seid erhaben, seid feierlich, seid wahr. Auftreten!

Klatscht in die Hände.

DIE ELF: Ehre sei Gott in der Höhe.

BOCKELSON: Herzogin von Ephraim, marsch, marsch, wackelt nicht mit dem Hintern, marsch, marsch, gleiten, gleiten. Ihr seid ein majestätisches Weib, nicht mehr die dreiste Dirne aus Leyden. Schön. Gruppiert euch. Los, los!

Seltsam. Ihr seid nur noch elf. Stimmt. Vier schmachten im Kerker, sie waren ungehorsam, und die Erzherzogin von Sinai, die schöne Königin Wandscherer mußten wir auf dem Domplatz eigenhändig hinrichten:

Schweigend betrachtete der König noch einmal das blutige Haupt
Die Kebsen tanzten, und ungeduldig warteten
Auf dem Gerüste die Geier.

Kaiser Tiberius. Das Stück ist vergessen, erwies sich gar nicht als ein Seneca, war eine glatte Fälschung. Gräfin von Endor mehr nach rechts. Noch mehr. Jetzt hat's geklappt.

Setzt sich.

Regie war stets mein größter Wunsch, ihr Weiber. Als Schauspieler bedeutend, bin ich als Regisseur genial. Auftritt der Täufer!

Der Rat der Täufer mit dem Metzger als Statthalter tritt auf.

DIE TÄUFER: Ehre sei Gott in der Höhe.

BOCKELSON: Täufer, Propheten des Herrn, wären wir nicht Christen, müßten wir verzweifeln, gar arg bedrängt uns die abgefallene Welt. Die Endzeit ist angebrochen, wir stehen in einem Glaubenskampf ohnegleichen, Inszenierung steht gleichsam gegen Inszenierung. Denn wie wir mit unserer Regiekunst den Heiligen Geist unterstützen, seine Herrschaft unter uns im Lichte der Heiligen Schrift, so unterstützen mit ihren oft grandiosen Theatereinfällen der Kaiser und der Bischof die Mächte der Finsternis, die Herrschaft der Fürsten und Pfaffen, die Leibeigenschaft. Die Not ist groß, doch haben wir auszuharren, Brüder, wie Schauspieler, wenn Pfiffe gellen und faule Eier niederprasseln. Siebenundzwanzig Apostel schickten wir aus, Hilfe herbeizuschaffen, unter Glockengeläute, mit unserer Fürbitte und mit unserem Segen versehen: sie liefen sämtliche den Landsknechten in die Hände, die Scheiterhaufen vor unseren Toren machten die Nacht zum Tage, und die Gebete der Märtyrer vermischten sich mit unseren Gebeten. Doch nicht genug der harten Prüfung. Der Priesterkönig Johannes, mir vom Erzengel Gabriel angekündigt, ist mit seinem unermeßlichen Heere aus dem Innern Asiens noch nicht vor unserer Stadt erschienen, uns zu befreien und unsere Feinde zu vernichten. Wahrlich, Brüder, Gott verfährt mit uns unerbittlich. Er sei gelobt ob seiner Strenge: Noch sind wir nicht gänzlich würdig seiner Gnade, noch sind wir nicht schlackenlos. Wir ermahnen euch deshalb: Seid nicht hochmütig, seid nicht ungläubig, haltet euch an das Gebet und vergeßt nicht die wunderbaren Werke Gottes! Denn obgleich wir ein geringes Volk sind, so herrschen wir doch über die Erde, jetzt im Geheimen, einst im Sichtbaren, wenn wir auch noch nicht in allen Teilen begreifen können, wie solches durch die Kraft des Glaubens und durch die weise Vorsehung Gottes möglich sein wird ...

Stutzt, weil er Judith erblickt.

Locken, wie des Erebos Dunkel, aus dem sich die Welt empor-
schob
Augen nicht minder nächtlich und die Brüste noch unschuldig
Bereit schon zu allem –
Seneca. Was führt Euch zu Eurem König, Gräfin von Gilgal?
JUDITH: Eure Soldaten haben meinen Vater verhaftet, König
der Täufer.
BOCKELSON: Wir wissen, Gräfin von Gilgal. Wir hatten Euren
Vater im Angesicht des Volkes zum Statthalter Jerusalems er-
nannt, doch verfiel er immer hemmungsloser einem unwürdigen
und lächerlichen Treiben, bis wir zu unserem Schmerze ge-
zwungen waren, ihn von jenem Vicomte von Gê-Hinnom zum
Tode verurteilen zu lassen, den er selbst zu seinem Richter er-
nannt hat und dessen Namen er jetzt trägt.
JUDITH: Seid gnädig, König der Täufer, seid barmherzig.
BOCKELSON: Es erschüttert deine Liebe Agamemnons Herz
Und deine Unschuld bewegt den König der Achäer
Tief rührt ihn deine Schönheit
Sophokles. Es sei, Gräfin von Gilgal. Er ist frei. Wir ernennen
Euch zur neuen Erzherzogin von Sinai.

Zu den andern:

Wir aber, meine Lieben und Getreuen, wollen uns in das ehe-
mals bischöfliche Theater begeben. Ich dichtete ein biblisches
Trauerspiel, «Judith und Holofernes», das will ich vorrezitieren
und alle Rollen ganz allein spielen. Kommt meine Fürstinnen,
kommt meine Fürsten, kommt!
Jerusalem erbleiche, Holofernes steht vor deinen Toren
Es wanken deine Mauern, und dein Glaube ist erschüttert
Da tritt eine Heldin auf, die nicht erzittert
Des Unholds Leib in ihrem Schoße bettet
Den Tod ihm gibt und dich errettet
Alle ab.

*Lager. Winter. Der Bischof wärmt sich über einem Kohlenbecken
die Hände. Ein Landsknecht.*

1. LANDSKNECHT: Zwei Überläufer, Exzellenz. Sie wollen
Euch sprechen.

BISCHOF: Der erste?

1. LANDSKNECHT: Heinrich Gresbeck, Euer ehemaliger Sekretär.

BISCHOF: Führ ihn her.

1. LANDSKNECHT: Vortreten!

Gresbeck tritt auf, fällt auf die Knie.

BISCHOF: Wenn Wir nicht heruntergekommen wären, ver-
armt und von den Landsknechten ausgeplündert bis auf die
Knochen, würden Wir sagen: Scher dich zum Teufel, Heinrich
Gresbeck!

GRESBECK: Ich bin wieder ein treuer Sohn der Kirche geworden, Exzellenz.

BISCHOF: Bitte, bitte.

GRESBECK: Ich bereue aufrichtig. Ihr werdet mir als Bischof
meinen Übertritt zu den Täufern verzeihen müssen.

BISCHOF: Das mag ein anderer Priester tun, Wir können ihn
nicht hindern. Von Uns erwarte keine Vergebung. Wir streiken.

GRESBECK: Die Reichsgräfin war furchtbar.

BISCHOF: Die Äbtissin wird bis zum letzten Blutstropfen für
ihren neuen Glauben kämpfen.

GRESBECK: Ich kam nie zu Wort.

BISCHOF: Wir verzeihen dir trotzdem nicht.

GRESBECK: Wenn Ihr nicht verzeiht, richten mich die Landsknechte hin.

BISCHOF: Menschlichkeit zwingt Uns zu fauler Gnade. Sei
wieder Unser Sekretär. Deine Visage wird Uns täglich an Unsere schändliche Ohnmacht erinnern.

1. LANDSKNECHT: Abtreten!

BISCHOF: Der zweite?

1. LANDSKNECHT: Eine schöne Dame, Exzellenz.

BISCHOF: Führ sie her.

I. LANDSKNECHT: Vortreten!

Judith tritt auf.

BISCHOF: Laß uns allein.

I. LANDSKNECHT: Zu Befehl, Exzellenz.

BISCHOF: Du bist Judith Knipperdollinck. Was willst du von deinem alten Bischof?

JUDITH: Ich weiß es nicht.

BISCHOF: Du bist ein Weib geworden, Judith.

JUDITH: Ich bin ein Weib geworden, ehrwürdiger Vater.

BISCHOF: Du bist ein schönes Weib geworden. Dein Mann?

Schweigen.

BISCHOF: Der Schauspieler?

JUDITH: Um das Leben meines Vaters zu retten.

BISCHOF: Hast du es gerettet?

JUDITH: Er lebt.

BISCHOF: Und warum bist du zu mir gekommen, Judith?

Schweigen.

Willst du es mir nicht sagen? Du bist nicht gekommen, Buße zu tun. Dein Kleid ist ein wenig aus der Mode, aber es steht dir gut. Du willst doch nicht etwa – sieh mich an. Komm näher, noch näher.

Judith kommt näher.

BISCHOF: Dein Schauspieler – rezitiert er viel?

JUDITH: Ja, ehrwürdiger Vater.

BISCHOF: Erhabene Geschichten, heldenhafte Geschichten?

JUDITH: Nur, ehrwürdiger Vater.

BISCHOF: Auch die Geschichte von der tapferen Judith und dem bösen Holofernes?

JUDITH: Ihr wißt alles, ehrwürdiger Vater.

BISCHOF: Die verfluchte Literatur.

JUDITH: Es tut mir leid, ehrwürdiger Vater.

BISCHOF: Du wolltest mich töten?

JUDITH: Ja, ehrwürdiger Vater.

BISCHOF: Um die Stadt zu befreien?

JUDITH: Ja, ehrwürdiger Vater.

BISCHOF: Wäre ich nicht an diesen Rollstuhl gefesselt, würde ich dich eigenhändig übers Knie legen.

JUDITH: Verzeiht, ehrwürdiger Vater.

BISCHOF: Erstens bin ich nun doch etwas gar zu alt, um einen glaubhaften Holofernes abzugeben, und zweitens hättest du die Stadt vom Schauspieler erretten müssen, um sie zu befreien.

Schweigen.

Doch du konntest ihn nicht töten, weil du ihn liebst.

JUDITH: Ja, ehrwürdiger Vater, ich liebe ihn.

BISCHOF: Mein Kind, ich lasse dich morgen nach Hamburg schaffen. Zu vernünftigen Leuten in ein vernünftiges Milieu. Landsknecht!

I. LANDSKNECHT: Exzellenz?

BISCHOF: Führ die Dame in ein Zelt. Sie ist Unser Gast.

I. LANDSKNECHT: Zu Befehl, Exzellenz.

JUDITH: Ich wollte den Bischof töten.

BISCHOF: Unsinn.

JUDITH: Mit diesem Dolch.

BISCHOF: Sie lügt, Landsknecht.

I. LANDSKNECHT: Weshalb hat sie denn einen Dolch bei sich, Exzellenz? Die Dame führ ich dem Ritter von Büren vor.

BISCHOF: Der wird sie kurzerhand hinrichten lassen.

I. LANDSKNECHT: Nicht kurzerhand, Exzellenz, schön langsam. Aber wenn die Dame widerruft, will ich ihr glauben, und sie mag bei Euch bleiben.

BISCHOF: Widerrufe Judith. Sonst bist du verloren. Ich vermag nichts gegen die Landsknechte.

JUDITH: Ich wollte den Bischof töten.

BISCHOF: Judith!

I. LANDSKNECHT: Seht Ihr, Exzellenz, da ist nichts zu machen.

BISCHOF: Verwünschtes Heldentum der Weiber.

JUDITH: Lebt wohl!

BISCHOF: Du mußt sterben, Judith.

JUDITH: Ich weiß.

BISCHOF: Ich kann nichts mehr für dich tun.

JUDITH: Betet für meine Seele.

BISCHOF: Seit ich Priester bin, habe ich für die Seelen der

Menschen gebetet. Achtzig Jahre lang habe ich zu Gott geschrien. Jetzt bin ich verstummt. Jetzt bete ich nicht mehr für die Seelen der Menschen.

Rollt ab.

LANDSKNECHT: Marsch, schöne Dame, zum Feldherrn!
Führt sie ab.

Marktplatz. Die Weiber von Münster schleppen das Blutgerüst herein. Auf ihm der Metzger mit dem Schwert des Statthalters. Die Männer stehen Wache.

METZGER: Beten, beten!

DIE WEIBER *singen:*
> Von dieser Welt des Bösen
> Mit ihrer großen Macht
> Wird uns der Herr erlösen
> Der alles möglich macht

Der Rat der Täufer tritt auf. Der blinde Krechting wird von Roth-mann geführt.

KRECHTING: Der Winter ist gekommen.

ROTHMANN: Der Schnee.

STAPRADE: Und die Kälte.

KRECHTING: Doch der Priesterkönig Johannes ist nicht gekommen mit seinen zehnmal hunderttausend Helden.

VINNE: Sie sind uns jetzt auf Ostern versprochen.

KRECHTING: Wenn es den Priesterkönig überhaupt gibt.

KLOPRISS: Gott wird unsere Hoffnung nicht zuschanden machen.

METZGER: Glauben! Glauben!

WEIBER *singen:*
> Vorm Tod wir uns nicht bangen
> Auch nicht vor Hungersnot
> Wir sind von Gnad umfangen
> Sind eins mit unserm Gott

KRECHTING: Wache! Die Aa?

WACHE: Zugefroren, Feldherr?

KRECHTING: Was siehst du?

WACHE: Um die Stadt den Wall der Landsknechte.

KRECHTING: Weiter.

WACHE: Zwischen unserer Mauer und dem Wall die Weiber und Kinder, die Münster zu verlassen begehrten.

KRECHTING: Viele?

WACHE: Fast alle.

ROTHMANN: Der König war gnädig und ließ sie ziehen.

STAPRADE: Ein guter König.

VINNE: Ein nachsichtiger König.

KLOPRISS: Ein christlicher König.

KRECHTING: Sicher. Doch ließen die Landsknechte die Weiber und Kinder nicht passieren.

WACHE: Leider, Feldherr.

KRECHTING: Was geschieht mit ihnen, denen unser christlicher König gnädig war?

WACHE: Sie verrecken nach und nach.

ROTHMANN: Sie gehen ein in die Herrlichkeit des Herrn.

METZGER: Hoffen, hoffen!

WEIBER *singen:*
   Im ungeheuren Lichte
   Erglänzt der Jüngste Tag
   Macht alle Pein zunichte
   Mit einem Donnerschlag

KRECHTING: Es stinkt.

WACHE: Dein Volk hält Wache, Feldherr.

STAPRADE: Ein gutes Volk.

VINNE: Ein geduldiges Volk.

KLOPRISS: Ein Gottesvolk.

ROTHMANN: Der Herr wird seinem Volk Kraft geben, der Herr wird sein Volk segnen mit Frieden, ruft der Psalmist David aus.

KRECHTING: Es stinkt trotzdem.

GISELA: Hunger. Wir haben Hunger.

KRECHTING: Der König verschanzt sich im Rathaus, und mir bleiben fünfhundert mäßig erhaltene Skelette, die Stadt zu verteidigen.

WACHE: Jawohl, Feldherr.

KRECHTING: Du da, komm her!

WACHE: Zu Befehl, Feldherr.

KRECHTING: Die Lage ist hoffnungslos.

WACHE: Und wie, Feldherr.

KRECHTING: Stütze mich!

WACHE: Ein verfluchter Pfeil, der Euch blind gemacht hat.

ROTHMANN: Er hat seinen Bogen gespannt und mich dem Pfeil zum Ziel gesteckt, heißt es in den Klageliedern Jeremias'.

KRECHTING: Es ist schrecklich zu wissen, daß ein alter Mann ohne Augen der einzig Sehende ist.

WACHE: Jawohl, Feldherr.

KRECHTING: Wie heiße ich?

WACHE: Ihr seid der Erzherzog von Sinai.

KRECHTING: Bin ich nicht in Wahrheit der Prediger Krechting aus Gildehaus?

WACHE: Freilich.

KRECHTING: Und der Kerl neben mir mit seinen Bibelsprüchen?

WACHE: Der Erzbischof von Kapernaum oder so.

KRECHTING: Ist er nicht eigentlich der Stadtpfarrer Bernhard Rothmann?

WACHE: Eigentlich.

KRECHTING: Du selbst?

WACHE: Ich heiße Hänsgen von der Langenstraate, aber man nennt mich immer Wache.

KRECHTING: Nicht geadelt?

WACHE: Gewöhnliches Volk muß es auch geben.

KRECHTING: Vor zwei Jahren sind wir Täufer nach Münster gekommen.

WACHE: Ihr habt gepredigt, das Reich Gottes komme bald.

KRECHTING: Glaubtest du uns?

WACHE: Ich hörte euch eben gerne zu.

KRECHTING: Und du, geadeltes Volk von Münster, ihr Barone und Fürsten, glaubtet ihr uns?

LANGERMANN: Wir hörten euch eben auch gerne zu.

KRECHTING: Ihr hörtet uns gerne zu, und dann habt ihr uns gehorcht.

FRIESE: Wir sind eben hineingeschlittert.

KRECHTING: Doch jetzt?

METZGER: Jetzt glauben wir an Euch, Feldherr. An Euch, an die Täufer und an den Endsieg.

KRECHTING: Eure Weiber und Kinder gingen ein wie Tiere.

FRIESE: Gerade deshalb glauben wir an Euch.

LANGERMANN: Sonst wären wir ja nicht mehr ein Gottesvolk.

METZGER: Ein auserwähltes Volk.

FRIESE: Sonst wären unsere Leiden ja sinnlos.

KRECHTING: Sie sind sinnlos.

METZGER: Hoffen, hoffen!

WEIBER *singen:*
> Was sterblich war hienieden
> Wird wieder auferstehn
> Gehüllt in Gottes Frieden
> Die neue Erde sehn

KRECHTING: Ich sage euch: Seine Tische biegen sich unter der Last köstlichster Speisen, und seine Weiber tanzen nackt vor seinen Großen.

WACHE: Wen meint Ihr, Feldherr?

KRECHTING: Ist meine Rede nicht deutlich genug? Soll ich den Namen unserer Not in die Nacht schreien?

WACHE: Die Antwort, Feldherr.
Stößt ihn nieder.

ROTHMANN: Leben wir, so leben wir im Herrn, sterben wir, so sterben wir im Herrn.

FRIESE: Gott sei seiner Seele gnädig.

WACHE: Wer kann zurück in diese Stadt? Wer kann zurück?
Schleppt Krechting ab.

METZGER: Frohlocken, frohlocken!

WEIBER *singen:*
> Die Wölf und Lämmer kosen
> Wohl unterm wilden Wein
> Versteckt in roten Rosen
> Schläft fromm der Henker ein

Sie schleppen das Blutgerüst ab.

Lager. Die beiden Ritter werden von den Landsknechten massiert.
Die beiden Galgen voller Leichen.

MÖNCH *tritt außer Atem auf:* Ritter von Büren, Ritter von Mengerssen!

VON BÜREN: Mönchlein, du bist pflotschnaß.

MÖNCH: Ich schwamm über die Aa.

VON BÜREN: Gesund.

MÖNCH: Ich erkletterte die Stadtmauer in der Sommerhitze.

VON MENGERSSEN: Wacker.

MÖNCH: Kein Mensch hinderte mich.

VON BÜREN: Sonst wärst du ja auch nicht mehr am Leben.

MÖNCH: Ich erbrachte den Beweis: Münster ist mit Leichtigkeit zu nehmen.

VON MENGERSSEN: Gratuliere.

MÖNCH: Die Täufer sind mehr oder weniger verhungert.

VON BÜREN: Hoffentlich.

MÖNCH: Seit Monaten wäre Münster gefallen, hättet ihr angegriffen.

VON MENGERSSEN: Offensichtlich.

MÖNCH: Dann handelt.

VON BÜREN: Wozu?

MÖNCH: Es ist unmenschlich, einen Krieg weiterzuführen, der mit Leichtigkeit beendet werden könnte.

VON BÜREN: Münster ist eingeschlossen, die Beute sicher, und solange wir die Stadt nicht erobern, muß uns der Bischof den Sold zahlen.

MÖNCH: Ihr plündert sein Land leer. Ihr habt Ahlen überfallen und Albersloh eingeäschert.

VON MENGERSSEN: Der Sold ist schäbig.

MÖNCH: An euern Galgen hangen Bauern, nicht Täufer.

VON BÜREN: Kriegsgewinnler.

MÖNCH: Sie lieferten euch Ware, nicht Münster.

VON MENGERSSEN: Sollten wir sie etwa dafür bezahlen?

VON BÜREN: Das wäre ein schöner Krieg.

MÖNCH: Die Fürsten sind ungeduldig.

VON MENGERSSEN: Geschwätz.

MÖNCH: Das wißt ihr genau.

VON BÜREN: Wir wissen von nichts.

MÖNCH: Sie beschlossen auf dem Reichstag in Koblenz, hierher zu kommen und mit dem Kriege Schluß zu machen.

Die Ritter setzen sich auf, starren einander an.

VON BÜREN: Ritter von Mengerssen, habt Ihr gehört? Kaum haben wir den Krieg liebevoll aufgepäppelt, kaum beginnt er zu rentieren, wollen die Fürsten mit ihm Schluß machen.

MÖNCH: Sie beabsichtigen, euch beide durch den Ritter Wirrich von Dhaun zu ersetzen.

VON MENGERSSEN: Ich verlor für Deutschland ein Bein und ernte nichts als Undank.

VON BÜREN: Die Fürsten sind unser Unglück.

VON MENGERSSEN: Weg mit ihnen!

VON BÜREN: Zum Teufel mit ihnen!

MÖNCH: Richtig!

Schweigen.

VON BÜREN: Mönchlein, was meinst du mit diesem «richtig»?

MÖNCH: Weg mit ihnen! Zum Teufel mit ihnen! Die Fürsten sind unser Unglück!

VON MENGERSSEN: Sag das noch einmal!

MÖNCH: Die Fürsten sind unser Unglück.

VON BÜREN: Noch einmal.

MÖNCH: Die Fürsten sind unser Unglück. Ich bin mit euch einverstanden. Ich stimme jedem vernünftigen Satz bei.

VON BÜREN: Landsknechte!

1. LANDSKNECHT: Feldherr?

VON BÜREN: Der Feldprediger ist verhaftet.

VON MENGERSSEN: Er lästerte gegen Kaiser und Reich.

VON BÜREN: Er ist schuldig befunden des Hochverrats.

2. LANDSKNECHT: Zu Befehl.

MÖNCH: Ritter von Büren! Ich teilte doch bloß eure Meinung über die Fürsten.

VON BÜREN: Mathematiker, du hast dich verrechnet. Unsere Meinung über die Fürsten können wir uns leisten, wir sind die

Feldherren, du jedoch bist ein Humanist, du kannst dir unsere Meinung nicht leisten. Wir kritisieren unseresgleichen, du deine Obrigkeit, das ist ein Unterschied. Du baumelst morgen am Galgen.

VON MENGERSSEN: Am protestantischen Galgen.

VON BÜREN: Ordnungsgemäß durch ein Kriegsgericht verurteilt.

MÖNCH: Ich protestiere!

VON MENGERSSEN: Bei wem?

Die Gemüsefrau tritt mit einem Karren auf.

GEMÜSEFRAU: Eine Bewilligung, im Auftrag von Kaufleuten aus Bremen Delikatessen nach Münster für König Bockelson zu karren.

VON BÜREN: Zwanzig Goldstücke.

GEMÜSEFRAU: Was ist los mit euch beiden? Der Krieg floriert und ihr werdet teurer?

VON BÜREN: Unser schöner Krieg hat ausfloriert. Die Fürsten wollen ihn beenden.

GEMÜSEFRAU: Ich weiß.

VON MENGERSSEN: Sie wollen uns durch den Wirrich von Dhaun ersetzen.

GEMÜSEFRAU: Ich weiß.

VON BÜREN: Ganz Deutschland weiß davon und nur wir wissen nichts.

GEMÜSEFRAU: Feldherren sind nie auf dem laufenden.

VON MENGERSSEN: Wir sind geschäftlich erledigt.

VON BÜREN: Unser Renomee ist versaut.

VON MENGERSSEN: Ich werde wieder Raubritter.

VON BÜREN: Hätt' ich nur das Angebot der Türken angenommen! Hätt ich nur!

GEMÜSEFRAU: Ihr Gauner flennt, daß man mitheulen möchte vor Mitleid.

VON BÜREN: Uns bleibt nichts anderes übrig, als Münster zu erobern. Ritter von Mengerssen, laßt zum Sturmangriff blasen.

GEMÜSEFRAU: Was denn, ihr Maulhelden, was denn? Da habt ihr einen kleinen komfortablen, anständigen Krieg mit gemütlichem Lagerleben und wollt ihn abstechen. Und warum?

84

Weil die Fürsten für den Frieden sind. Fürsten sind immer für den Frieden, damit ihnen die Völker nicht davonlaufen, merkt euch das, aber weiter gehen sie keinen Schritt, wirklich geschadet haben die Fürsten noch keinem Krieg. Nein, nein, da braucht ihr nichts zu befürchten und was den Wirrich von Dhaun angeht, schon gar nicht: Der käme den Fürsten viel zu teuer, das ist ein richtiger Feldherr. Bitte: Wenn es gegen die Türken ginge, gegen den Papst oder die Franzosen, da leistet man sich so eine Kapazität, doch gegen Münster – glaubt mir, da seid ihr beide gerade richtig.

VON BÜREN: Ich atme auf, liebe Frau, ich atme auf.

VON MENGERSSEN: Das verdammte Mönchlein hat uns einen verdammten Schrecken eingejagt.

GEMÜSEFRAU: Bekomme ich jetzt meine Bewilligung oder bekomme ich sie nicht?

VON BÜREN: Wir sagten schon: Für zwanzig Goldstücke.

GEMÜSEFRAU: Und mein Trost? Gilt der nichts?

VON BÜREN: Neunzehn Goldstücke.

GEMÜSEFRAU: Fein. Den Kaufleuten aus Bremen rentiert das Geschäft nicht mehr.

VON MENGERSSEN: Ihre Sache.

GEMÜSEFRAU: Ich verliere meine Provision.

VON MENGERSSEN: Eure Sache.

GEMÜSEFRAU: Meint ihr? Doch in Münster, ihr zwei Lokalgrößen von Feldherren, was glaubt ihr, was wird in Münster geschehen, wenn wir König Bockelson nicht mehr mit Delikatessen beliefern, was wird geschehen? Der König wird hungern.

VON BÜREN: Soll er! Soll er!

GEMÜSEFRAU: Wird er! Wird er! Doch König Bockelson wird nicht verhungern wie sein armes Volk, er wird kapitulieren und ihr habt euren lieben einkömmlichen Krieg gesehen.

   Geht ab. Von Büren holt sie zurück.

VON BÜREN: Gute Frau, Ihr gebt uns zehn Goldstücke wie bisher und beliefert den König wie bisher.

GEMÜSEFRAU: Das Geschäft rentiert für die Kaufleute aus Bremen immer noch nicht.

VON BÜREN: Fünf Goldstücke.

GEMÜSEFRAU: Immer noch nicht.

VON MENGERSSEN: Eine Schande, wie man uns arme Frontschweine behandelt.

GEMÜSEFRAU: Nun?

VON BÜREN: Schön. Schön. Ihr bekommt die Bewilligung gratis.

GEMÜSEFRAU: Das Geschäft rentiert für die Kaufleute aus Bremen immer noch nicht.

VON BÜREN: Immer noch nicht?

GEMÜSEFRAU: Sie verlangen zwanzig Goldstücke für eure Bewilligung, den König mit Leckerbissen vollzustopfen.

VON MENGERSSEN: Zwanzig Goldstücke?

VON BÜREN: Die sollen wir zahlen?

GEMÜSEFRAU: Ihr. Unsere christlichen Kirchen beladen jeden mit einem heiligen Fluch, der mit Münster Handel treibt. Für eine Höllenfahrt sind zwanzig Goldstücke nicht zuviel. Und weil auch ich dabei zur Hölle fahre, verlange ich fünf Goldstücke extra für meine Verdammnis, macht fünfundzwanzig Goldstücke im Ganzen, christlich gerechnet und christlich gehandelt.

VON MENGERSSEN: Ich protestiere!

GEMÜSEFRAU: Bei wem?

VON BÜREN: Eine hundskommune Erpressung.

GEMÜSEFRAU: Ihr zwei werdet mir langsam unsympathisch.

VON BÜREN: Gut. Gut. Nehmt die fünfundzwanzig Goldstücke und schert euch in die Stadt.

GEMÜSEFRAU: Topp. Das Geschäft wäre in Ordnung.

VON BÜREN: Hauptsache, der Krieg ist gerettet.

VON MENGERSSEN: Gehängt wird der Feldprediger trotzdem.
Von Büren und von Mengerssen ab.

GEMÜSEFRAU: Mönchlein, Zeit und Gelegenheit sind gekommen. Es steht schlimm mit dir.

MÖNCH: Ich wollte die Welt zur Vernunft bekehren, Gemüsefrau.

GEMÜSEFRAU: Hast du sie bekehrt? Ich merke nichts davon. Du hast zwei Schurken gedient mit deiner Vernunft, und nun

86

bist du verloren. Doch was tut's! Machen wir, daß wir in die Stadt kommen.

Ab mit ihrem Karren.

2. LANDSKNECHT: Marsch, Mönchlein. Das Kriegsgericht wartet.

Will den Mönch abführen.

1. LANDSKNECHT: Nur nichts überstürzen.

Untersucht den Mönch

1. LANDSKNECHT: Humanist, du hast ja noch einen Gulden.

MÖNCH: Er brachte mir Glück, Landsknecht. Er rettete mir das Leben.

1. LANDSKNECHT: So ein Pech, Humanist. Jetzt kannst du dir damit bloß deine Henkersmahlzeit bezahlen.

Steckt den Gulden ein. Die beiden Landsknechte führen den Mönch ab.

Bühne des bischöflichen Theaters.
Bockelson mit Farbkübel und Pinsel, nackter Oberkörper, riesige
rote Schleppe, Krone. Knipperdollinck.

KNIPPERDOLLINCK: Johann Bockelson von Leyden!

BOCKELSON: Wer stört mich auf der Bühne des ehemaligen
bischöflichen Theaters?
Bestreicht sich mit roter Farbe.

KNIPPERDOLLINCK: Der ärmste deiner Untertanen.

BOCKELSON: Sei gegrüßt, ärmster meiner Untertanen.

KNIPPERDOLLINCK: Ich gab dir meinen Reichtum und meine
Macht, und du nahmst mir meine Tochter.

BOCKELSON: Sie war mir die Liebste von meinen siebzehn
Weibern.

KNIPPERDOLLINCK: Ich floh vor der Sünde und verstrickte
mich in Schuld, ich suchte Gott in der Armut und bin verzweifelt.

BOCKELSON: Dem Himmel muß man kommandieren.
Brauche ich den Erzengel Gabriel, ein Pfiff, und er flattert hernieder.

KNIPPERDOLLINCK *schreit:* Zeige dich, Herr, zeige dich, damit ich deine Gegenwart spüre!
Starrt nach oben.

BOCKELSON: Na?

KNIPPERDOLLINCK: Keine Antwort.

BOCKELSON: Versuche: Säusle, Gott, säusle! Das nützt immer.

KNIPPERDOLLINCK: Säusle, Gott, säusle, damit ich getröstet
werde!
Starrt nach oben.

BOCKELSON: Tönte eindrucksvoll.

KNIPPERDOLLINCK: Nichts.

BOCKELSON: Tatsächlich. Nur ein zerborstenes Bühnendach
und ein Mond, der durch die Wolken fegt. Donnere, Allmächtiger, donnere!

KNIPPERDOLLINCK: Donnere, Allmächtiger, donnere!

BOCKELSON: Gewaltiger!

KNIPPERDOLLINCK: Donnere, Allmächtiger, donnere, zerschmettere mich ob meiner Sünden!

BOCKELSON: Großartig. Wirkte echt verzweifelt. Gratuliere.

KNIPPERDOLLINCK: Gott schweigt.

Starrt nach oben.

BOCKELSON: Was soll er auch antworten?

KNIPPERDOLLINCK: Nichts als eine leere Bühne.

BOCKELSON: Es gibt nichts anderes.

KNIPPERDOLLINCK: Ich bin verloren.

BOCKELSON: Gepriesen sei deine Verzweiflung, ärmster meiner Untertanen, sie hält sich ans Religiöse und bordet nicht in politische Forderungen über. Du bist würdig, meine Schleppe zu tragen und mit mir über die Bühne des bischöflichen Theaters zu tanzen.

Sie beginnen zu tanzen.

BOCKELSON: Mond! Pockennarbig und fett

Faules Aas im Himmellotterbett

Sieh nieder! Da tanz ich schon

In zerschlissenem Mantel mit schiefer Kron

Der Täuferkönig Bockelson

KNIPPERDOLLINCK: Mondkoloß aus totem Stein

Dein Odem bläst mir Kälte ein

Ich tanze mit in deinem Schein

Vom Elend wie ein Hund gehetzt

Eine rote Schleppe trag ich jetzt

BOCKELSON: In Leyden im Stadttheater

Spielte ich den dritten Heldenvater

KNIPPERDOLLINCK: Bin ich auch fürchterlich verlumpt

Mich haben Fürsten angepumpt

BOCKELSON: In Münster vor dem Ägidiitor

Trug ich dem Volke Dichtung vor

KNIPPERDOLLINCK: Nach schwerem Essen mit verdorbenem Magen

Konnte ich nur noch die Bibel vertragen

BOCKELSON: Du dichtest, ärmster meiner Untertanen, du dichtest!

KNIPPERDOLLINCK: Aus Verzweiflung, nur aus Verzweiflung.

BOCKELSON: Ich Musensohn
Dichte aus Lust zur Produktion
Weiber mir und mein das Gold
Der liebe Gott hat's so gewollt

KNIPPERDOLLINCK: Meinen Reichtum warf ich weg
Ich suchte den lieben Gott im Dreck

BOCKELSON: Mit der Christen schlechtem Gewissen
Hab ich das neue Zion beschissen

KNIPPERDOLLINCK: Die Tochter zuschanden, verlaust und betagt
Werd ich von roten Ratten zernagt

BOCKELSON: Tanzen wir über das nicht mehr vorhandene Dach

KNIPPERDOLLINCK: Jagen wir wie die Katzen einander nach

BOCKELSON: Leicht wie sie

KNIPPERDOLLINCK: Schnell wie sie

BOCKELSON: Heiß wie sie

KNIPPERDOLLINCK: Mond! Wie das Rad gehängt über die Erde
An dem ich bald hangen werde
Gefoltert, zerschmettert, mit Zangen gezwackt
Zum Tode in vier Teile zerhackt

BOCKELSON: Hurenmond, gelb und voll
Von deinem Wahnsinn bin ich toll
Bin brünstig nach dir
Wie der buntscheckige Stier
Zieh dich, Lustlümmel, hernieder zu mir

KNIPPERDOLLINCK: Die Milchstraße hinauf, am Bären vorbei

BOCKELSON: Wir schlagen Himmel und Erde zu Brei!

Sie improvisieren das Spiel vom Jüngsten Gericht.

BOCKELSON: Am Jüngsten Tag, König Bockelson
Erschien vor Gottes Richterthron

KNIPPERDOLLINCK: Splitternackt und blutverschmiert
Hat er dem Herrgott vorrezitiert
BOCKELSON: Die Engel und Cherubim bleich und verdattert
Haben mit mächtigen Flügeln geflattert
KNIPPERDOLLINCK: Beeindruckt vom grausigen Welttheater
Demissionierte der himmlische Vater
BOCKELSON: Engel und Heilige stoben davon
KNIPPERDOLLINCK: Da setzte sich auf Gottes Thron
Der Täuferkönig Bockelson
BOCKELSON: Genoß einen himmlischen Augenblick lang
Den selbstinszenierten Weltuntergang
KNIPPERDOLLINCK: Und unter donnerndem Applaus
Ging die Weltgeschichte aus
BOCKELSON: Applaus. Das ist's. Applaus. Verlassen wir die
Bühne des ehemaligen bischöflichen Theaters, ärmster meiner
Untertanen, verlassen wir auch den königlichen Palast, begeben
wir uns zum Ägidiitor.

   Ab.
KNIPPERDOLLINCK: Kriechen wir ins Dunkel zurück.

19. DIE ÜBERGABE

Vor der Stadt. Ägidiitor. Bockelson tritt aus dem Tor.

BOCKELSON: Schäbiges, westfälisches Kaff
Verdreckt, verseucht, halb eingestürzt
Vollgestopft mit Welterlösern, tollen Weibern
Entzündet wie ein Bündel Stroh von meiner Phantasie
Du allzu deutsches Nest
Genügst mir nicht mehr
Applaus brauch ich, ein Publikum, das sich begeistert, Beifall-
stürme
Denn wer mir hier noch klatscht, den macht der Hunger schief
Und krumm die Furcht vor Niederlage, Folter, Tod am Galgen
Drum Kleinstadtschmiere Münster
Von Gott verlassen und von jeglichem Mäzen
Sei jetzt bedankt. Ich ziehe weiter
  Die Fürsten treten auf, die Feldherren, die Landsknechte. Der
  Kardinal in der Sänfte, Bischof im Rollstuhl.
BOCKELSON: Ihr Fürsten, versammelt angesichts der Stadt
Die euch seit Jahren trotzt
Ich trete vor euch hin
Ich stellte einen König dar
Und rezitierte komödiantisch einen Possentext
Durchsetzt mit Bibelstellen und mit Träumen einer beßren
Welt
Die halt das Volk so träumt
So trieb ich denn, euch zur Erheiterung, was ihr auch treibt
Regierte, übte Willkür und Gerechtigkeit
Belohnte Speichellecker, Schergen, blinden Ehrgeiz
Verführte durch Leutseligkeit
Nutzte Frömmigkeit und echte Not
Fraß, soff, lag Weibern bei
War eingekerkert – auch wie ihr – in die öde Langeweile jeder
Macht
Die ich – was ihr nicht könnt – euch hier zurückerstatte
Das Spiel ist aus, ihr Fürsten ohnegleichen

Ich trug eure Maske bloß, ich war nicht euresgleichen
  Öffnet das Ägidiitor weit.
Münster sei euch und eurer Wut
Noch leben einige. Nun gut
Sie mögen jetzt am Rad verbleichen
Doch ich, der das Spiel euch schuf, der kühne Denker
Ich erwarte einen Lorbeerkranz und nicht den Henker
  Die Fürsten applaudieren.
KARDINAL: Bischof, den habt Ihr nicht engagiert?
KURFÜRST: Ein großer Künstler!
LANDGRAF: Ich engagiere ihn auf Lebenszeit.
KURFÜRST: Er gehört auf mein Theater.
KARDINAL: In unsere Arme, Bockelson.
  Birgt Bockelson an seinen Busen.
KARDINAL: Den Künstler geben wir nicht mehr her, Landgraf
  von Hessen
Bockelson, mit dreifacher Spitzengage, wirkt auf unsrer Bühne
Die erste jetzt durch ihn im lieben Heiligen Deutschen Reiche
  Führt ihn zur Sänfte, in die sich Bockelson setzt.
Landsknechte, besetzt die Stadt, drei Tage dürft ihr wüten
Bestraft sie hart, Rechenschaft seid ihr keinem schuldig
Gott gab Münster auf, was ihr auch tut, ihr tut es ohne Sünde
Laßt übrig bloß einige Rädelsführer, gut fürs Hochgericht
Darunter irgendeinen, arg entstellt, der Sprache nicht mehr
  mächtig
Von dem wir sagen, er sei Bockelson
Pro forma so den Willen unseres gnädigen Kaisers treu erfüllend

*Entfernt sich triumphierend mit Bockelson in der Sänfte, die Fürsten
und Landsknechte dringen in die Stadt ein. Vor dem hilflosen
Bischof schließt sich das Ägidiitor wieder.*

Vor der Stadt wartet der Bischof.
Aus der Stadt kommen der Landgraf von Hessen und der Kurfürst,
verneigen sich vor dem Bischof und gehen ab.
Dann verlassen die Ritter Johann von Büren und Hermann von
Mengerssen die Stadt, treten vor den Bischof, verneigen sich.

VON BÜREN: Münster, Bischof, gehört Euch wieder!
Beide ab. Von oben senken sich die Käfige.
Die beiden Landsknechte schleppen das Blutgerüst mit dem aufs
Rad geflochtenen Knipperdollinck vor den Bischof.
Die beiden Landsknechte salutieren und gehen ab.
KNIPPERDOLLINCK: Herr! Herr!
Sieh meine zerbrochenen Glieder, zermalmt von Deiner Ge-
   rechtigkeit
Du breitest Dein Schweigen über mich
Du tauchst Deine Kälte in mein Herz
Du hast keine meiner Gaben verschmäht
Nimm nun auch meine Verzweiflung entgegen
Die Qual, die mich zerfleischt
Der Schrei meines Mundes, der zu Deinem Lobe verröchelt
Herr! Herr!
Mein Leib liegt in diesem erbärmlichen Rad wie in einer Schale
Die Du jetzt mit Deiner Gnade bis zum Rande füllst
   Stirbt.
BISCHOF: Der Begnadete gerädert, der Verführer begnadigt
Die Verführten hingemetzelt, die Sieger verhöhnt durch den
   Sieg
Das Gericht besudelt durch die Richter
Der Knäuel aus Schuld und Irrtum, aus Einsicht und wilder
   Raserei
Löst sich in Schändlichkeit
Die Gnade, Knipperdollinck, zwischen blutigen Speichen her-
   vorgekratzt
Klagt mich an.
Aus deinem Rollstuhl, Bischof von Münster!

Erhebt sich.
Steh, Uralter, auf eigenen Beinen!
In Fetzen das Bischofskleid, das Kreuz verspottet durch deine
    Ohnmacht
Stampfe in die Erde
Diese unmenschliche Welt muß menschlicher werden
Aber wie? Aber wie?

ANHANG

Bühne:

Wichtig ist, daß ohne Vorhang gespielt werden kann, fließend, mit Überblendungen, die Requisiten bringen die Schauspieler auf die Bühne. Die Zürcher Wiedertäuferbühne: Der Bühnenraum wird durch einen hellen, wie aus großen Lederstücken zusammengenähten Prospekt abgeschlossen, in welchem sich eine Schiebetüre befindet. Vor diesem Prospekt ein Holzgerüst, die Stadtmauer anzudeuten. Das Holzgerüst kann durch einen zweiten Prospekt abgedeckt werden, der im Zuge hängt und wie der erste Prospekt aussieht, so daß die Bühne eine Hinter- und eine Vorderbühne aufweist. Auf der Vorderbühne stehen zwei bewegliche Torflügel, dunkelbraun aus Holz, Leder und Eisen, verschiebbar.

Bühne Grundbau

$A =$ hinterer Prospekt. $B =$ Schiebetüre. $C =$ Gerüst. $D =$ Prospekt im Zug. $E =$ Stadttore verschiebbar.

DRAMATURGISCHE ÜBERLEGUNGEN ZU DEN WIEDERTÄUFERN

1. Einleitung. Modell Scott:

Shakespeare hätte das Schicksal des unglücklichen Robert Falcon Scott doch wohl in der Weise dramatisiert, daß der tragische Untergang des großen Forschers durchaus dessen Charakter entsprungen wäre, Ehrgeiz hätte Scott blind gegen die Gefahren der unwirtlichen Regionen gemacht, in die er sich wagte, Eifersucht und Verrat unter den anderen Expeditionsteilnehmern hätten das Übrige hinzugetan, die Katastrophe in Eis und Nacht herbeizuführen; bei Brecht wäre die Expedition aus wirtschaftlichen Gründen und Klassendenken gescheitert, die englische Erziehung hätte Scott gehindert, sich Polarhunden anzuvertrauen, er hätte zwangsläufig standesgemäße Ponys gewählt, der höhere Preis wiederum dieser Tiere hätte ihn genötigt, an der Ausrüstung zu sparen; bei Beckett wäre der Vorgang auf das Ende reduziert, Endspiel, letzte Konfrontation, schon in einen Eisblock verwandelt, säße Scott anderen Eisblöcken gegenüber, vor sich hinredend, ohne Antwort von seinen Kameraden zu erhalten, ohne Gewißheit, von ihnen noch gehört zu werden: Doch wäre auch eine Dramatik denkbar, die Scott beim Einkaufen der für die Expedition benötigten Lebensmittel aus Versehen in einen Kühlraum einschlösse und in ihm erfrieren ließe. Scott, gefangen in den endlosen Gletschern der Antarktis, entfernt durch unüberwindliche Distanzen von jeder Hilfe, Scott, wie gestrandet auf einem anderen Planeten, stirbt tragisch, Scott, eingeschlossen in den Kühlraum durch ein läppisches Mißgeschick, mitten in einer Großstadt, nur wenige Meter von einer belebten Straße entfernt, zuerst beinahe höflich an die Kühlraumtüre klopfend, rufend, wartend, sich eine Zigarette anzündend, es kann ja nur wenige Minuten dauern, dann an die Türe polternd, darauf schreiend und hämmernd, immer wieder, während sich die Kälte eisiger um ihn legt, Scott, herumgehend, um sich Wärme zu verschaffen, hüpfend, stampfend, turnend, radschlagend, endlich verzweifelt Tiefgefrorenes gegen die Türe schmetternd, Scott, wieder innehaltend, im Kreise herumzirkelnd auf kleinstem Raum, schlotternd, zähneklappernd, zornig und ohnmächtig, dieser Scott nimmt ein noch schreck-

licheres Ende, und dennoch ist *Robert Falcon Scott im Kühlraum er-*
frierend ein anderer als *Robert Falcon Scott erfrierend in der Antark-*
tis, wir spüren es, dialektisch gesehen ein anderer, aus einer tragischen
Gestalt ist eine komische Gestalt geworden, komisch nicht wie einer,
der stottert, oder wie einer, der vom Geiz oder von der Eifersucht
überwältigt worden ist, eine Gestalt komisch allein durch ihr Ge-
schick: Die schlimmstmögliche Wendung, die eine Geschichte nehmen kann, ist die Wendung in die Komödie.

2. Der Fall Bockelson:

Zur Person: Schneidergeselle, Schank- und Bordellwirt in Leyden in
den Niederlanden, Mitglied einer Kammer der Rhetoriker – in den
Schauspielen, die er entwarf, spielte er wohl selbst eine Rolle [Ranke]
– wird einer der Führer der Wiedertäufer in Münster, läßt sich nach
dem Tode Jan Matthisons zum König ausrufen. Nachdem er während
seiner kurzen Herrschaft eine christliche revolutionäre Bewegung lä-
cherlich gemacht, siebzehn Weiber geehelicht, eine Stadt ins Verder-
ben gestürzt und nach seiner Gefangennahme der Täuferei wieder
entsagt hatte, wurde er, neunundzwanzigjährig, vom siegreichen
Bischof Franz von Waldeck einem Gericht überwiesen, dreimal mit
glühenden Zangen gezwackt und endlich erdolcht [1536]. Sein Leich-
nam wurde, aufrechtstehend in einem eisernen Käfig, an der West-
seite des Lambertiturmes aufgehängt, flankiert von den Käfigen mit
Krechting und Knipperdollinck. Dramaturgischer Aspekt: Vorerst
scheinen nur zwei Lösungen möglich, nämlich Bockelson entweder
als einen positiven tragischen oder aber als einen negativen tragischen
Helden darzustellen, entweder als einen der ersten christlich-kom-
munistischen Idealisten oder als einen klassischen Bösewicht, als einen
vitalen nihilistischen Verführer einer christlichen Gemeinschaft. Beide
Taktiken sind spektakulär. Die eine idealisiert, die andere dämoni-
siert.

3. Bockelson als positiver tragischer Held:

Wird Bockelson zum positiven Helden aufgewertet, wozu er gewisse
Voraussetzungen besaß – «eine glückliche äußere Bildung, natürliche

Wohlberedenheit, Feuer und Jugend» [Ranke] –, so erweckt er Mit-
leid mit beigemischter Furcht [man zittert um sein Schicksal]. Ein
positiver tragischer Held ist nicht schuldlos an seinem Untergang –
der allgemeinen Gerechtigkeit zuliebe –, doch überwiegen die Tu-
genden, müssen überwiegen, will er Mitleid erwecken, soll um sein
Schicksal gezittert werden. Ohne dieses Mitleid [des Zuschauers]
und ohne diese Furcht [auch des Zuschauers] kommt keine Tragödie
aus. Der Zuschauer leidet und fürchtet nur dort mit, wo er sich identi-
fizieren, wo er mitfühlen kann. Ohne Identifikation des Zuschauers
mit dem tragischen Helden keine Erschütterung.

4. Bockelson als negativer tragischer Held:

Wird Bockelson zum negativen Helden dämonisiert, so erweckt er
Furcht mit beigemischtem Mitleid, aber auch mit beigemischter Be-
wunderung, denn so furchterregend ein Bühnenbösewicht auch sein
mag, so ist er doch beim Publikum zu populär, so freut man sich doch
allzusehr auf sein Erscheinen, so wird er doch von den Schauspielern
allzu gern dargestellt, als daß seine Wirkung eine rein negative wäre.
Brecht, auf der Suche nach einem nicht-aristotelischen Theater in
der Absicht, den Zuschauer statt zum Mitfühlen zum Erkennen zu
verleiten, auf der Suche nach einer Bühne, auf welcher nicht das
«Wie», sondern das «Warum» einer untergeht, das Wichtige sein soll,
Brecht schuf immer wieder negative Helden, ihren Fall zu demon-
strieren, doch nehmen wir meistens ihre Fehler gern in Kauf, sie
erhöhen nur unsere Sympathie [Mutter Courage, Galileo], Held
bleibt Held. Der Zuschauer identifiziert sich mit jedem, geht mit
Freuden mit jedem der Helden und führe er mit Mephistopheles in die
Hölle. Wer möchte nicht gern einmal Nero, wer nicht einmal gar der
Teufel sein.

5. Die Tragödie als das Theater der Identifikation:

Das Dilemma der Tragödie: Nur das Wirkliche berührt uns tragisch.
Ein wirklicher Todesfall usw. Wir brauchen die Illusion, auf dem
Theater werde «wirklich» gestorben, wollen wir uns durch einen
Theatertod erschüttern lassen. Die Tragödie braucht die Illusion des

Zuschauers, sein Mitspielen, für die Tragödie gilt: Theater = Wirklichkeit. Die Tragödie muß die Fiktion ablehnen, ohne die sie nicht möglich ist, denn jedes Theater ist eine Fiktion. Das Verhältnis der Tragödie zur Wirklichkeit ist naiv. Ihre Wirkung hängt von der Illusionskraft der Bühne ab, erreichte im Naturalismus letzte Höhepunkte, seitdem ist die Tragödie – da wir der Bühne ihre Illusionen nicht mehr so recht glauben – fast nur noch in Filmen heimisch. Die Tragödie neigt dazu, sich als abgebildete «Wirklichkeit» auszugeben, das Tragische der «Wirklichkeit» zu entlehnen, sie will zeigen, was war [oder was ist] Tragödie heute: Hochhuth: Endlose Belege, die geschichtlichen Fiktionen, die er macht, als «Wahrheit» zu installieren, statt sich auf die Wahrheit in der Fiktion zu verlassen. Sonderfall: Die Ermittlung von Peter Weiß – trotz der literarischen Tünche –, indem nur noch zu Worte kommen, die nur noch das Wort haben, die Henker, identifiziert sich der Zuschauer mit jenen, die nicht mehr das Wort haben können, mit den Opfern. Eigentümlichkeit der Tragödie: Die Handlung wird irrelevant. Der Untergang des Helden findet nur statt, um seine moralischen Qualitäten aufleuchten zu lassen, die Intrigen und Irrtümer, die seinen Fall verursachen, sind unwichtig. Die Sprache wird irrelevant, die Handlung ist die Wäscheleine, an der die Sprache im tragischen Winde knattert. Dramaturgie: Seit Aristoteles die Tragödie moralisch rechtfertigte [Katharsis, Reinwaschung des Zuschauers durch Furcht und Mitleid], wird mit den Kategorien des Identifikationstheaters das dramaturgische Handwerk an sich gemessen. Was nicht rührt, mit was man sich nicht identifizieren kann [und will], wird als unverbindliches Theater abgetan.

6. Der Verfremdungseffekt:

Aus Opposition gegen die Tragödie änderte Brecht den Bühnenstil. Sein Verfremdungseffekt reißt den Zuschauer immer wieder vom Spiel los und stellt ihn dem Spiel gegenüber. Der Verfremdungseffekt ist eine Notbremse, welche die Handlung zum Stehen bringt und Überlegungen möglich macht. Brechts Theater ist ein Drama zwischen der erstrebten Nicht-Identifikation des Publikums mit dem Stück und dem dem Zuschauer innewohnenden Trieb, sich immer wieder zu identifizieren. Es ist das Drama jedes modernen Theaters.

Der Zuschauer identifiziert sich unwillkürlich mit dem Geschehen auf der Bühne, während des Spiels nimmt er unwillkürlich an, das Geschehen sei «wirklich», aus dem simplen Grunde, weil er mitspielt.

7. Das Theater der Nicht-Identifikation:

Die Komödie. Beispiel Clown. Wir lachen über den Clown, weil er uns als ein so unbeholfener Mensch gegenübertritt, daß sich ihm jeder überlegen fühlt. Wir identifizieren uns nicht mit dem Clown, wir objektivieren ihn. Richten wir bei der Identifikation in unserem Ich den Helden als ein Objekt auf, integrieren wir den Helden in unser Ich, stoßen wir den «Clown in uns» aus unserem Ich und treten ihm gegenüber. Der Clown ist der «Einzelne», und nicht nur der Clown, jede komische Figur, was sie vereinzelt, ist das Komische [der tragische Held ist nicht «vereinzelt», er ist mit den Menschen durch deren Mitleid verbunden. Der Dramatiker des «Einzelnen»: Beckett. Bei mir die Gestalt, die dem «Einzelnen» am meisten entspricht: Schwitter]. Ferner: Es ist uns gleichgültig, ob das Komische erfunden oder «wirklich» sei, wir müssen gleichwohl lachen. Die Illusion ändert am Komischen nichts, gerade darum ist sie beim Komischen legitim. Das Komische tritt nur ein, wo wir objektivieren, das heißt, wo wir eine Gestalt oder eine Handlung als Ganzes überblicken, was nur möglich ist, wo wir Distanz bewahren: Darum ist es gleichgültig, ob das als Komisch erkannte «wirklich» ist oder fingiert. Das Komische muß uns nicht «nahe gehen» wie das Tragische, um auf uns zu wirken, das Komische wirkt auf uns, weil wir von ihm Abstand nehmen, unser Gelächter ist die Kraft, die den komischen Gegenstand von uns wegtreibt.

8. Die drei Arten der Komödie:

Das Komische kann in der Gestalt und in der Handlung liegen, in der Gestalt allein und in der Handlung allein. Beim Clown liegt das Komische allein in der Gestalt, er sieht komisch aus und ist läppisch, er tut alltägliche Dinge, aber macht sie verkehrt. Bei der sogenannten Gesellschaftskomödie [von der attischen neuen Komödie bis zum

heutigen Boulevard-Theater ein einziger komödien-taktischer Trend]
ist die Gestalt komisch – der Geizige, der Neureiche usw. – und die
Handlung, die Situationen. Wird die Komödie zum Welttheater,
braucht nur noch die Handlung «komisch» zu sein, die Gestalten sind
im Gegensatz zu ihr oft nicht nur «nichtkomisch», sondern tragisch.

9. Dramaturgie der Komödie als Welttheater:

Liegt der Sinn einer tragischen Handlung darin, die Größe des Hel-
den aufzuzeigen, wird die Handlung dadurch irrelevant, so wird eine
Handlung dann komisch, wenn sie auffällt, wenn sie wichtig wird,
wenn die Gestalten durch die Handlung ihren Sinn erhalten, nur
durch sie interpretiert werden können. Die komische Handlung ist die
paradoxe Handlung, eine Handlung wird dann paradox,«wenn sie zu
Ende gedacht wird». Die Komödie der Handlung und die Tragödie
überschneiden sich, insofern als es auch Tragödien der Handlung gibt:
Oedipus rex. Auch in den Peripetien der Tragödien: «In den Peripe-
tien erreichen die Dichter, was sie erstreben, auf eine erstaunliche
Weise. Denn dies ist gleichzeitig tragisch und menschlich. Das wird
dann bewirkt, wenn etwa der Kluge, der schlecht ist, betrogen wird
wie Sisyphos, oder wenn der Tapfere, der aber ungerecht ist, über-
wältigt wird. Denn dies entspricht der Wahrscheinlichkeit, wie Aga-
thon sagt: denn es ist wahrscheinlich, daß vieles gerade gegen die
Wahrscheinlichkeit geschieht» [Aristoteles]. Der Sinn der paradoxen
Handlung «mit der schlimmstmöglichen Wendung»: Er liegt nicht
darin, Schrecken auf Schrecken zu häufen, sondern darin, dem Zu-
schauer das Geschehen bewußt zu machen, ihn vor das Geschehen zu
stellen. Der Verfremdungseffekt liegt nicht in der Regie, sondern im
Stoff selbst. Die Komödie der Handlung ist das verfremdete Theater
an sich [und braucht gerade deshalb nicht verfremdet gespielt zu wer-
den, es kann es sich leisten, darauf zu verzichten]. Erreicht wird
erstens: Dadurch, daß eine Handlung paradox wird, ist ihr Verhältnis
zur «Wirklichkeit» irrelevant, ob wirklich oder fiktiv, die Handlung
wirkt paradox, das Verhältnis zur Wirklichkeit ist bereinigt, weil es
im alten Sinne keine Rolle mehr spielt. Die Frage nach der «Wirk-
lichkeit» stellt sich anders. Eine paradoxe Handlung ist ein Sonderfall,
die Frage lautet, inwiefern sich in diesem Sonderfall die andern Fälle

[der Wirklichkeit] spiegeln. Die Tragödie als eine naive, die Komödie der Handlung als eine bewußte Theaterform. Zweitens: Die Identifikation, zu welcher der Zuschauer neigt, ist erschwert; weil der Zuschauer durch die paradoxe Handlung gezwungen wird, zu objektivieren, wird jedoch als Wagnis möglich. Der Zuschauer kann sich die Frage stellen, inwiefern der Fall auf der Bühne auch sein Fall sei, und sich so die Gestalten auf der Bühne wieder aneignen. Die Möglichkeit zu diesem Wagnis ist vorhanden, doch braucht sie vom Zuschauer nicht ergriffen zu werden, er wird dann eine Komödie der Handlung als eine reine Groteske erleben oder als eine übersteigerte Tragödie. Die Komödie der Handlung ist die Theaterform, die Brecht von unserem Zeitalter der Wissenschaft fordert unter der Berücksichtigung der Tatsache, daß der Zuschauer zu nichts gezwungen werden kann. Das Theater ist nur insofern eine moralische Anstalt, als es vom Zuschauer zu einer gemacht wird. Darin, daß viele der heutigen Zuschauer in meinen Stücken nichts als Nihilismus sehen, spiegelt sich nur ihr eigener Nihilismus wieder. Sie haben keine andere Deutungsmöglichkeit.

10. Auf Bockelson bezogen:

Indem Bockelson zu einem Schauspieler gemacht wird [«Nie nährte mich die Kunst, bescheiden bloß Zuhälterei / Nun mästet mich Religion und Politik: Doch sitz ich in der Falle / Ich wurde Täufer aus beruflicher Misere / Ich brachte, arbeitslos, verworrenen Bäckern, Schustern, Schneidermeistern / Rhetorik bei ... Ja wurde aus einem losen Einfall gar ihr König / Jetzt, hol's der Teufel, glauben sie an mich»], wird Bockelson «zu einem» schlimmst möglichen Fall: Er wird zu einer Fiktion. Dieser Fiktion wird die Geschichte unterworfen, der «historische» Bockelson wird in eine Fiktion verwandelt, wird zum «Theater» [Analog Scott im Kühlraum]. Er wird zur komischen Gestalt und damit zum Sonderfall. Ihn treibt nicht die Machtgier, sondern die komödiantische Lust, die Theatralik, ohne die keine Macht auskommt, auszunützen. Darum können die Fürsten ihn auch begnadigen: Nicht als ihresgleichen, sondern als einer, der ihresgleichen vollendet spielt: Als genialen Schauspieler, den sie begnadigen, weil sie ihn bewundern: Sie bewundern sich selber, das heißt das, was ihnen Bockelson vorspielte, indem sie ihn begnadigen. Bockelson als Fiktion ist nicht gleich einer Wirklichkeit, nicht gleich Hitler oder gleich irgendeiner historischen Persönlichkeit, er ist auch kein Parallelfall, wie etwa Arturo Ui ein Parallelfall zu Hitler ist, er verhält sich als Sonderfall nur zur Theatralik, die in jedem Mächtigen innewohnt. Bockelson ist ein Thema jeder Macht: Ihre Begründung durch Theatralik.

11. Bockelson als Thema:

Die Dramatik – wie die übrige Kunst – hat einen bestimmten Weg eingeschlagen: Den Weg in die Fiktion. Ein Theaterstück stellt eine Eigenwelt dar, eine in sich geschlossene Fiktion, deren Sinn nur im Ganzen liegt. Die Aussagen des Dramatikers sind nicht Sätze, nicht Moralien oder Tiefsinn, der Dramatiker sagt Stücke aus, sagt etwas aus, was nicht anders gesagt werden kann als durch ein Stück. Die Sätze, welche die Personen des Stücks aussprechen, sind verständlich allein durch das Stück, verständlich nur durch die Situation, in der sie sich befinden. Sie sind weder Wahrheiten «an sich» noch Provokationen, sondern der Ausdruck der dramaturgischen Ironie, die das Stück fingiert und lenkt. Das Theater als Fiktion kann nichts anderes sein als Theater, ein Gleichnis, immer wieder neu zu erdenken, für die Tendenzen der Wirklichkeit. Das Theater als Eigenwelt enthält als seine Themen erdichtete Menschen, es entwickelt sich kontrapunktisch. Zu einem Thema tritt ein Gegenthema usw. [Zu Don Quichotte tritt Sancho Pansa.] Zu Bockelson tritt der Bischof: Zum Schauspieler tritt der Theaterliebhaber, der Theaterfanatiker. [Bischof: Mitspieler in Wirklichkeit, verstrickt in Schuld, Mitwisser von Verbrechen / Brauchen wir die Täuschung loser Stunden, Zuschauer nur zu sein.] Zum Schauspieler tritt der Zuschauer, dessen Schicksal es ist, daß er auch der Welt gegenüber Zuschauer bleiben muß, wo er doch handeln wollte: Wie er auch handelt, er löst immer wieder Geschehen aus, die ihn in die Lage eines hilflosen Zuschauers zurückwerfen, eine Lage, die ihn am Ende zur Rebellion zwingt, zu einer ohnmächtigen Rebellion freilich. Zum verzweifelten Zuschauer, der ohne Überzeugung handelt, der um seine Hilflosigkeit weiß [Nun muß ich weiterhin an einer faulen Ordnung herumflicken], treten die

zynischen Zuschauer [Kaiser, Fürsten], treten die zynisch Handeln-
den [Landsknechte, Gemüsefrau], treten aber auch jene, die die Welt
verändern wollen und die er im geheimen bewundert [Matthison,
aber auch der Mönch], tritt endlich der Religiöse, der aufs Rad ge-
trieben wird, der die Welt erleidet: Knipperdollinck usw. Die Welt
der Fiktion ist eine in sich geschlossene Welt. Ihre Geometrie: Die Be-
ziehung ihrer Gestalten zueinander. Ihre Dramatik: Die Schicksale,
die sich auf dem abgesteckten Platz abspielen.

12. Über die Wiedertäufer im Ganzen:

Die Wiedertäufer stellen als Komödie eine Wiederaufnahme eines
Versuchs dar, den ich im Jahre 1946 unternommen habe und der unter
dem Titel «Es steht geschrieben» bekannt geworden ist. Einzelne
Teile des früheren Werkes konnten übernommen werden. Die Wie-
dertäufer stellen eine Begegnung meiner heutigen Dramatik mit mei-
ner ersten Dramatik dar. Es verlockte mich, noch einmal das alte
Spiel, bewußter jetzt, durchzuspielen.

FRIEDRICH DÜRRENMATT

Romane	Das Versprechen Grieche sucht Griechin [Prosakomödie]
Erzählungen	Die Stadt. Frühe Prosa Die Panne
Dramen	Ein Engel kommt nach Babylon [Fragmentarische Komödie] Der Besuch der alten Dame [Tragische Komödie] Romulus der Große [Ungeschichtliche Komödie] Es steht geschrieben Der Blinde Frank V. Die Physiker Herkules und der Stall des Augias Der Meteor Die Wiedertäufer Die Ehe des Herrn Mississippi, Bühnen- fassung und Drehbuch Komödien I. Sammelband Komödien II und frühe Stücke. Sammelband
Hörspiele	Nächtliches Gespräch Das Unternehmen der Wega Der Prozeß um des Esels Schatten Abendstunde im Spätherbst Stranitzky und der Nationalheld Herkules und der Stall des Augias Der Doppelgänger Die Panne Gesammelte Hörspiele Theater-Schriften und Reden Theaterprobleme. Essay Friedrich Schiller. Rede Friedrich Dürrenmatt, Stationen seines Werkes. Monographie [Herausgegeben von E. Brock-Sulzer]

VERLAG DER ARCHE